SOLVE THE MYSTERY WITH MY MASTER
IN THE MIDDLE OF DIFFICULT
LIES OPPOTUNITY
IMAGINATION
MEANS
NOTHING WITHOUT DOING

ご主人さまと謎解きを

CROSS NOVELS

楠田雅紀
NOVEL: Masaki Kusuda

みずかねりょう
ILLUST: Ryou Mizukane

CONTENTS

CROSS NOVELS

CONTENTS

楠田雅紀
ご主人さまと謎解きを
ILLUSTRATION
みずかねりょう

〈1〉

四月一日、さあ今日から社会人だと勇んで向かった入社式。そこで歩夢を待っていたのはいきなりの出向命令だった。

「総合職で採用された、椎葉歩夢です」

ホールの入り口横にもうけられた受付で名前を告げたとたん、「ああ、君はこっち」と歩夢一人だけロビーの隅へと連れていかれ、人事部の社員から一枚の厚手の紙を渡されたのだ。そこには『辞令』の文字と歩夢の名、さらに『上記の者、竜徳寺本家へ出向を命じる』とあった。

「出向……？　竜徳寺本家って……」

歩夢はとまどって人事部の社員を見上げた。

「あ、出向がわかんない？　椎葉くんは一応、この「竜徳商事」の社員なんだけど、勤務先は竜徳寺本家になるってごと。あ、本家もわかんない？　ほら、うちは竜徳寺財閥の系列会社だろ？　本家っていうのは、財閥当主でうちの会長の竜徳寺満久氏の家のことだよ」

言われる通り、歩夢が就職したのはその名も「竜徳商事」。今や銀行、ホテル、建築会社、保険会社、運送事業など多岐にわたる事業展開をしている竜徳寺財閥の基礎となった商社だ。

「えっと……つまり、俺は竜徳商事の社員だけど、会長のご自宅で働く……ってことですか？」

「そうそう」

歩夢はもう一度渡された辞令に目を落とした。出向の意味と勤務先はわかったが、しかし、その下にある一行も意味がわからない。

「あの……勤務内容が執事職ってなってますけど……執事って具体的にどんな仕事をするんでしょうか……？」

事務員、店員、工員、医者に看護師、警備員に運転手、世の中にはいろいろな職業があるが、歩夢はこれまで「執事をやってます」という人に会ったことがない。

首をひねりつつ尋ねたが、辞令を出した側も内実は把握できていなかったようで、

「さあ？　まあ行けばわかるんじゃない？」

と軽く言われてしまった。

「これ、資料。地図も入ってるよ。交通費は出向先で清算してもらえるはずだけど、タクシーじゃなくて公共交通機関を使って行くように。こっちの入社式には参加しなくていいから、十時までに向こうに着けるように、今からすぐに向かってね」

「十時」

あわてて腕時計を見た。ホームセンターで買った安い時計は八時四十五分を指している。

資料だと渡されたクリアファイルの中から地図を探して引っ張り出す。最寄り駅「竜徳寺」へはどう行けば……。路線をチェックして、もう一度腕時計を見る。間に合うだろうか。歩夢は急いで踵を返し、入ってくる新入社員たちの流れにさからって会場の扉を出た。

出向、竜徳寺本家、執事……思わぬ展開に頭がくらくらしたけれど。

竜徳商事には総合職として採用された。……はずだった。最初の数年は希望に関係なく営業に回されることがあると聞かされていたけれど、まさか入社一日目で出向させられるとは思わなかった。それも財閥当主の家に、執事としてだとは。どこに配属されてもがんばるつもりではあったが、しかし。

（執事ってなにをするんだろう）

電車に揺られつつスマートフォンで調べてみた。律令体制の職務の一つだったとか、キリスト教にもそういう職務があったとか、初めて知った。「上流階級の家庭において家事の総監督をになう」というのが歩夢に出された辞令の「執事職」の内容だろうが、具体的なイメージは湧いてこない。

（まあでも）

持ち前の切り替えの早さで、歩夢は思う。

（どこでどう働くにしても、真面目にしっかり勤めるだけだし）

そうだ。勤め先が商社から、その商社会長の個人宅に変わろうと、仕事が総合職から執事職に変わろうと、真面目にしっかり働くだけだ。

（かあさん、とうさん。給料貯めて、すぐにお墓を建てるからね）

歩夢には目標があった。お金を貯めて、十二年前に亡くなった父と、三年前に亡くなった母の墓を建てるという目標が。

（だいたい俺が竜徳商事みたいな大きな会社に就職できたのがラッキーだったんだから）

そう、本当にラッキーだった。それも苦労が正当に報われたというのではない、棚からボタ餅的な、幸運の女神がなんの気まぐれか、微笑んでくれた系のラッキーだ。

歩夢の就職活動は大変だった。旧帝大系ではない国立大学の文学部。特別な技術も資格もないまま臨んだ就活は低調な景気の下で苦戦を強いられた。エントリーシートで試験と面接まで進んでも、そこでもらうのは「お祈りメール」ばかり。友人は次々内定を決め、あせりばかりが募った。ついには、ブラックだ、社員は使いつぶされるだけだと噂のある企業を受けるところまで歩夢は追い詰められた。

一次選考で落とされた竜徳商事から連絡があったのはそんな頃だった。『もしまだ他社からの内定をお受けでないならば』と前置きがあり、『貴殿のエントリーシートを再チェックしたところ、ぜひ弊社にご就職いただきたい人材であるとの会長決定があり、最終面接の場を用意いたしました』と。

これはなにかの間違いだろうと思いながら半信半疑で面接に赴き、会長も臨席という超重役面接で本当に内定をもらってしまった。

信じられなかった。竜徳寺財閥を母体とする竜徳商事といえば誰知らぬ者もない超優良企業だ。運試しぐらいのつもりでエントリーシートを提出したのに、まさか一度落とされたあとに内定をもらえる敗者復活があるなんて。

これまで地道に正直に生きてきたとは思う。

売れない画家だった父親は歩夢が十歳の時に、ガンで亡くなった。絵を描きながら時々バイトをする程度の父親は一家の大黒柱とは言いがたく、主な収入は保育士だった母親の給料だったが、それでも働き手が二人から一人になったのは厳しかった。父の治療でわずかばかりの貯金が底をついてしまったのも痛かった。

歩夢は一人でがんばる母親を助けたくて高校生になってすぐバイトを始めたが、当の母親に「大学目指して勉強しろ」とやめさせられた。

「お金のことはあんたが心配しなくていいから」

そう言って大学進学を勧めてくれた母は歩夢が大学二年になってすぐ、それまでの苦労がたたったのか、脳の血管が切れて突然、彼岸に渡ってしまった。

父親が亡くなった時も悲しかったが、検査、入院、手術、また悪化という時間を過ごす中で、おとうさんは大変な病気なんだと子供心にも理解できていた分、ショックは少なかった。だが、昨日まで、いや、その日の朝食もいつも通り一緒に食べて「行ってらっしゃい」と見送った母が病院で冷たくなっていた時の衝撃は大きかった。一人だけ取り残されてしまったような心もとなさや暴力を受けた時にも似た痛い悲しさ……当時の気持ちを思い出すと、今でもすっと手足が冷える。

質素な葬式をなんとかすませたあとは大学にも行かず、毎日泣いて暮らした。食事もほとんどとれなかったが、このまま弱って死ねたら母にもう一度会えるかもしれないと真剣に考えるほど、母の死はショックだった。

そんなある日のことだ。なんとか二日に一度の風呂と毎日の歯磨きだけは続けていた歩夢は、洗面所の鏡に映る憔悴した自分の顔に驚いた。歩夢は母似だった。くりっとした丸い大きな目とちんまりした鼻と小さめの口のせいで、いつも年より幼く見られたが、母によく似た童顔が歩夢は嫌いではなかった。

ところがその時、鏡から自分を見返した顔には母の面影がほとんどなかった。泣き続けたせいで大きな目はまぶたが腫れ上がって細くなり、愛嬌のある丸っこい頬は削げ、口角は下がって、見知らぬ人のようだった。

(ひどい顔……)

鏡に手をついて、歩夢はしげしげと鏡の中の自分を見つめた。母の明るい笑顔とは似ても似つかぬしょぼくれた顔を。

（かあさん、俺のこんな顔、喜ばない）

それが転機になった。歩夢は一人で生きていく決意を固め、奨学金を受け、狭いが家賃の安いアパートに引っ越した。もう泣かない、そう決めて。

この就職大逆転は、もしかしたらこれまでの歩夢の人生を見ていた神様が「よしよし、たまにはいいことも起こしてやろう」と思ってくれたものか、それとも早々とあの世に逝ってしまった父が少しは父らしいことをしなければと力を貸してくれたものか、あの世でもしっかり者の母ががんばってくれたものか。とにかく、これまでのマイナスが一気にプラスに転じたような幸運の訪れだった。

その幸運を現実にもたらしてくれたのは、一度落とされた歩夢にチャンスをくれた竜徳寺満久会長だ。竜徳寺財閥当主という雲の上の人に、歩夢はその面接で初めて会った。もう七十近いはずだったが、いくつもの大企業を束ねる実業家だけあって貫禄と目力があった。

起死回生のチャンスをくれた人の家で執事として働く——突然の出向命令には驚いたが、不満などおぼえなかった。目標は両親の骨を早く墓に納めることと、奨学金を返すこと。そのために、どんな職場でどんな仕事であっても、前向きにしっかりと取り組むだけだと覚悟はできている。

幸い、仕事を持つ母を手伝って、料理、掃除、洗濯、裁縫は一通りできるから、執事の仕事が家の切り盛りならなんとかなるだろう。

「うん！」

心新たにやる気を持ち直し、歩夢は竜徳寺駅に降り立った。略図を見ながら歩きだす。

（それにしても大きいな）

地図で見ても竜徳寺本家は大きかったが、実際に歩いてみるとその広さは個人の家屋のレベルではなかった。道を挟んだ反対側にはレストランや民家、マンションが建ち並んでいるのに、こちら側には延々とレンガと鉄柵が連なっている。腰の高さほどに積まれたレンガの上に、お城にでも使われていそうなおしゃれな鉄柵が立ち、その鉄柵の内側には薔薇(ばら)の茂みがこれまた延々と連なっていて、季節になればさぞあでやかな眺めになるだろうと思われた。

やっと正面の門に着いた。

三メートルはありそうな高い石柱と両開きの鉄の門。車が二台並んで通れそうな広い門の横に、小さな通用門がついている。その脇にあるのは守衛室だ。やはり個人の邸宅とは思えない。

時計を見た。十時十分前。なんとか間に合った。

歩夢は守衛室正面の受付のような窓から中をのぞいた。

「すみません。竜徳商事から、こちらで勤めるように言われてきた者ですが」

警備員のような制服を着た初老の男は鼻先までずり下がった眼鏡の上から歩夢をじろりと見た。

「あー……なんか連絡があったな。あんた、椎葉さん？　執事見習いの」

執事見習い。執事として勤めるのだからまずは見習いからということか。歩夢が「はい、そうです」とうなずくと男はぞんざいに顎をしゃくった。

「じゃあ裏口回って」

「え、裏口って……」

「そっち」

と、来たほうを指差される。

塀沿いに五分は歩いたような気がする。入り口らしきものはなかったはずだ。角を曲がれということだろうか。初めての場所で電車の乗り換えにも手間取り、指定された出勤時刻が迫っている。ここから戻って間に合うだろうか。

腕時計を見、来た道をのぞき、どうしようと迷っているところに、歩夢の前を横切って門前に深紅のアルファロメオが滑り込んできた。

「政宗様！」

歩夢には横柄だった守衛がいそいそと走り出てくる。正門がぎーっと左右に大きく開いた。

（政宗？　って、まさか……）

「政宗様、おはようございます！」

車に走り寄った守衛が帽子をとって頭を下げる。車はその守衛の前を通って門を入っていくのかと思いきや、手前でキッと停止した。

ドアが開く。ファッション誌、それもスーツの専門誌から抜け出たような、質のいいスーツを着こなしたイケメンが降りてくる。

その顔を一目見た瞬間、歩夢は雷にでも打たれたかのような衝撃をおぼえた。

（なんて……カッコいい……！）

自分が童顔なせいか、「大人の男」の落ち着きと成熟度を感じさせる顔立ちに弱い自覚は昔からあった。だが、今現れた男ほど、惹きつけられたことはこれまでない。

怜悧な印象の美貌――目尻の切れ上がった双眸、すっと通った高い鼻すじ、薄い唇。整いすぎて冷たい印象を、ぴっちり整えられた髪型とスクエアのフレームレス眼鏡がさらに強めている。意志の強さを感じさせる瞳のきらめきもたまらなかった。

顔だけではなかった。ダークグレーのスーツに紺と白のピンストライプのワイシャツ、シルバーのラインがきいた臙脂(えんじ)色のネクタイに、艶のあるブラウンの革靴。難易度の高そうなカラーを難なく着こなす一八〇を楽に超えていそうな長身と、自然に肩と胸が開いた姿勢のよさにも目を奪われる。

「うわぁ……」

思わず感嘆の声を上げてしまったが、クールなイケメンに眼光鋭くにらまれて、歩夢はあわてて口を閉じた。政宗と呼ばれた男は歩夢をまっすぐに見て、靴音高く歩み寄ってくる。怒ってでもいるかのように、その視線は厳しい。

あまりにカッコよくてつい見惚れてしまったが、失礼だっただろうか。いや、ほんの数秒のことだったはずだけれど、ほかになにかまずいことをしているのだろうかと歩夢はあせる。今日は入社式用に新品のスーツをおろしてきた。安物だが服装に問題はないはずだけれど……。

「政宗様？　あの、どうかなさいましたか」

守衛もわけがわからないのか、うろたえた様子で政宗を追ってくる。

「様はいりません。さん付けでいいといつも言っています」

政宗はちらりと横を見てそう言うと、またすぐ歩夢に目を戻した。フレームレスの眼鏡の端がきらりと陽を弾く。

「君は誰だ。この家になにか用があるのか」

低く、響きのよい声で問われる。だが視線同様、その口調には厳しさがにじんでいる。

「あ、こ、これは、執事見習いとして今日からこの屋敷で勤めることになった者で……」

歩夢が答えるより早く、守衛があたふたと説明する。

「執事見習い？」

政宗の眉間にすっと一本、しわが寄った。

美人を怒らせると怖いというが、美男に怒られるのも怖い。歩夢は背筋をぴんと伸ばした。

「俺、じゃない、わたしは椎葉歩夢と申します！　本日入社した竜徳商事から、こちらで執事として勤めるようにと出向を命じられてまいりました！」

できる限りはきはきと自己紹介する。

「椎葉？　両親の名前を聞いていいか」

ふだんの生活で初対面の相手にいきなり親の名前を聞かれることはまずない。どうしてそんなことを聞かれるのかわからなかったが、

「はい、父は椎葉守（まもる）、母は美津（みつ）といいます。父は十二年前に、母は三年前に亡くなりました」

歩夢は姿勢を崩さず答えた。

政宗の眉間のしわは残ったまま、目がすがめられる。

「竜徳商事からの出向というのは本当か」

「はい！　入社式に出ようとしたところで出向を命じられました。十時までにこちらへ着くようにと言われてきましたが、ぎりぎりになってしまいました」

「裏口に回るように言ったところでした！　本当に近頃の若い者はそういった礼儀も知らなくて」

横から守衛が口を挟んでくる。

まさか正門から入ろうとしたことで怒られているのだろうか。政宗にきつい目を向けられている理

由がわからない。だが、

「ここにも通用門があるのだから、わざわざ裏に回らせることはないでしょう」

溜息まじりに政宗が言うところをみると、それで詰問されているわけではないらしい。

そして政宗はちらりと自分の腕時計に目を落とした。歩夢のものとはちがう、高価そうなものだ。

「もう時間がないな」

つぶやいて歩夢に視線を戻してくる。いくぶん、その視線が柔らかくなっていることにほっとする。

「車に乗れ。勝手口まで送ってやろう。足止めして悪かった」

思わぬ申し出に歩夢は目を見張った。

「そんな……それは申し訳ないです」

「ここから館までは少しある。車のほうが速いぞ」

守衛が口をぱくぱくさせてなにか言いたげにしていたが、政宗はかまわず踵を返した。

確かに時間は迫っている。初日から遅刻は避けたいし、本音を言えば、カッコいい政宗と少しでも長く近くにいたい。なにを怒られていたのかわからないが、親切にしてもらえるのはうれしい。

「あ、じゃあ……すみません！　ありがとうございます！」

大きくがばりと頭を下げて、歩夢は小走りに助手席に回り込んだ。

（嘘（うそ）みたいだ）

超絶タイプのイケメンが運転するアルファロメオの助手席に座って、歩夢はこれは夢ではないかとさえ思う。

深紅の外車はなめらかに発進して、大きく開いた門の中へ入った。アスファルトの道が緑鮮やかな青紅葉の林へとゆるいカーブを描いて続く。政宗がハンドルを切り、車は林へと入ったが、まだ建物の影はどこにも見えない。

「……あの」

前を見てハンドルを握る政宗に、歩夢は思い切って話しかけた。

「失礼ですけど、政宗さんって、もしかして竜徳寺政宗さんですか？」

どきどきしながら尋ねると、政宗は眼鏡の下からちらりとこちらを見た。

「やはり俺を知っているのか」

「はい！　そりゃ……！」

まちがいない！　本人だった！

竜徳寺政宗は現代ビジネスの成功者として有名だ。竜徳寺財閥の次男として生まれ、財閥系列の建築会社に入社し、四年後、その会社のデジタル部門の部長になった。そこまでは親の七光、財閥御曹司として用意されたコースだったかもしれないが、そこからの躍進がすごかった。政宗は部長としてまかされたデジタル部門で成績を上げ、二年で子会社化を実現、独立させると、親会社のデジタル部門の仕事だけではなくネット通販事業へと手を広げたのだ。

政宗がデザインしたオンライン商店街は当たり、急成長。独立から五年、彼の会社であるワイアール・ネットは今やネット通販で国内ではトップのシェアを誇る企業へと成長し、東証一部にも上場している。『若手実業家トップ』『父をしのぐ商才と度胸』『若き成功者』……政宗の名前にはそんな枕詞が必ずつく。本人はマスコミ嫌いで有名で、取材も撮影も拒否しているが、ワイアールの成長はネット時代の成功例として新聞にもテレビにも取り上げられ、政宗は三十三歳の若さで一流の実業家として名を馳せている。

憧れの実業家だった「竜徳寺政宗」。その当人が想像を上回るモデル並みの容姿だったことに、歩夢のテンションはいやが上にも高まる。

「ワイアールの成功、すごいです！　竜徳寺の枠の中から飛び出して、会社を大きくして！　会社に勤めて六年で独立なんて、わたしだったら絶対できません！」

電車の中で、竜徳寺本家で勤めるなら、もしかしたらワイアールの竜徳寺政宗の顔を見るチャンスがあるかもしれないとは思ったが、こんなに早く会えるとは……。

「お、お会いできて光栄です！　車にまで乗せてもらって……あの、すみません、握手を……」

政宗の実業家としてのすごさに少しでもあやかりたかった。歩夢は握手をねだりかけ、運転中だと気づいて、はっとして手を引っ込めた。

「あ、すみません！　運転中ですよね……」

それでも未練がましく、節が高く、指の長い大きな手を見つめてしまう。爪も健康的で形がいい。

(手までカッコいいんだ)

こんな手で手をぎゅっと握られたら、どんな心地がするだろう……。つい、その肌の感触まで想像してしまう。

(あ、ちがうちがう！　これは自分と真逆の人に憧れる気持ちからで……！)

そうだ。大人の男を感じさせるイケメンに弱いのは自分が童顔で、自分にないものに憧れがあるせいだ。歩夢は誰にともなく急いで心の中で言い訳する。

そんな歩夢に、政宗はまたちらりと横目で一瞥をくれた。

「出向で来たと言ったな？　母親に俺のことを聞かされて、ここに来たわけじゃないのか」

「え？」

思わぬセリフに目が丸くなる。ぱちぱちと目をしばたたいた。

「母に、ですか？　えっと……母は韓流アイドルのファンでしたけど……ワイアールの社長さんのことは特に……。もしお顔を知っていたら、母もファンになってたと思いますけど、会ってこいとまでは言わなかったんじゃないかな……」

そもそも母の好みはもう少し甘めで優しい顔立ちだったと思う。

首をひねりながらそう答えると、政宗は小さく溜息をついた。

「そういう意味じゃない」

ではどういう意味だろう。まさか歩夢の母と政宗が知り合いだったとでもいうのだろうか。

「あの、まさか……」

言いかけたところで、車は紅葉林を抜けた。ぱっと視界が明るくなる。

正面に堂々たる館が建っていた。石造りで三階建ての、まるでイギリスの古い城のような建物だった。庭もがらりと趣を変えてイングリッシュスタイルに整えられている。

「うわあ！　すごいお屋敷ですね！」

思わず嘆声が漏れる。

(こんなすごいお金持ちとかあさんが知り合いなわけないよな)

馬鹿なことを聞くのはやめておこうと思い直す。

政宗はもう無言で、庭園を回り込む形でハンドルを切った。車はレンガが幾何学模様に敷き詰められたファサードへ滑り込む。重厚な鉄の扉へと続く石段の真ん前で政宗は車を停めた。

二人が車を降りたところで、正面の扉がゆっくりと左右に開いた。

「政宗様！　おはようございます！」

テレビでしか見たことがないような黒の礼装に身を包んだ初老の男性が出てきた。笑顔とともにうやうやしく頭を下げる。口ひげは白く、薄い頭髪も黒白まざっているが、姿勢と肌の色つやは悪くない。その後ろにまだ若い女性がついて、同じように丁寧にこちらへ向けて頭を下げてくる。これもドラマや漫画でしか見たことはないが、「お出迎え」というものらしい。

「おはようございます」

「あ、ど、どうも……」

歩夢は石段を上がる政宗の後ろにあたふたしつつ、ついていく。

「こちらは……」

初老の男性に探るような視線を向けられた。

「お、おはようございます。椎葉歩夢と申します。竜徳商事から執事としてこちらで働くようにと、出向の辞令をもらってきま……」

「十時を二分、回っていますよ」

挨拶の途中で冷たくさえぎられた。

「会社には十時に必ずよこすようにと連絡しておいたはずですが」

「あ、す、すみません……」

あわててあやまりかけたが、

「正門には十時前に着いていました。俺が話しかけて足止めしていたんです」

横から政宗がそうフォローしてくれた。

「なぜ政宗様のお車で……」

男はそれでもまだ不審そうに政宗と歩夢を見くらべてくる。

「それも俺が誘ったんです」

「そうですか……しかし、いくら誘われたからといって、当主家の方のお車に使用人が乗るなど感心できません」

（使用人）

時代がかった言い回しに違和感をおぼえたが、「召使い」と言われなかっただけマシかと思い直す。

「すみませんでした」

初日からトラブルは避けたくて、おとなしく頭を下げた。

「立花さん」

政宗が硬い声で初老の男を呼ぶ。

「時代がちがいますよ。彼は勤め先がこの家だというだけで、別に竜徳寺の家の人間と身分がちがうわけではない」

毅然とした口調だった。

歩夢は思わず政宗を見上げる。――容姿ばかりか、言動までカッコいいなんて……。

「また、政宗様はそのような……」

しかし、立花はやれやれと言わんばかりに首を振った。

「このお館で勤めるからにはわきまえてもらわねばならないことがたくさんございます。とりあえず、政宗様は中へ。大旦那様は今朝はとても調子がおよろしくていらっしゃいますよ。……あなたは」

と立花は歩夢に目線を戻す。

「裏の勝手口に回ってください」

「はい、わかりました」

これ以上、政宗に迷惑はかけたくない。政宗がなにか言う前に、歩夢は早口でうなずいた。

「勝手口はどちらですか」

「ここをまっすぐ、角を折れて、次の角の手前でインターフォンを鳴らしてください」

立花に手を振られる。とりあえず館の正面を端まで行けばいいらしい。

「わかりました。あの、政宗様、ここまでありがとうございました。今日からがんばりますので、よろしくお願いします」

政宗にきっちりと頭を下げて、歩夢は石段を下りた。

背後で立花が再度政宗をうながす声がして、扉ががしゃんと重々しく閉じる。

「さ、政宗様、中へ」

歩夢は教えられた通り、館に沿った小道を歩いた。正面を過ぎて横手に回ると、木立の奥に古民家風の造りの平屋が連なっているのが見えた。こちらは本館とはちがい、純和風だ。離れだろうか。

そして次の本館の角の手前に立花が言っていた勝手口があった。勝手口といっても正面玄関と比較して小さいだけで、普通の民家の玄関より大きくてドアも立派だ。

ドア横のインターフォンを鳴らすと、すぐに内側からドアが開いた。立花が厳しい顔で立っている。

「先ほどは失礼いたしました。竜徳商事から出向で来ました椎葉歩夢です。よろしくお願いします」

「わたくしがこの館で執事を務める立花です。今日の遅刻は政宗様がああおっしゃるなら仕方がありませんが、ここではなにごとによらず、余裕をもっておこなうようにしてください」

「はい、申し訳ありませんでした」

もう一度丁寧に頭を下げたが、その頭に、ふーといらだたしげな溜息を落とされた。

「出向だのなんだの……会社勤めと同じような気持ちで来られては困るんだが、まったく」

いきなり会社勤めを否定されてしまった。歩夢が目をしばたたかせていると、

「大旦那様がお待ちです。早く中に入ってください。ああ、マットでよく泥を落としてからです」

言葉だけは丁寧にせかされる。

「失礼します……」

自分は本当にここへ来てよかったのだろうか、立花の態度に不安をおぼえてしまう。

一歩、館の中へと進み、靴をどこで脱ぐのだろうと探したが、

「この家は洋式ですから靴のままです」

と告げられた。民家に靴のまま入るのは抵抗があったが、そう言われては仕方ない。もう一歩、奥へと入った。

勝手口からまっすぐに、両側にドアの並ぶ薄暗い廊下が続いている。

「今からこの館の案内がてら、大旦那様のお部屋にまいります。大旦那様は臥(ふ)せっていらっしゃいますから、ご挨拶は簡潔に」

さっきも立花は政宗に大旦那様の調子がどうこうと言っていたけれど……。

「あの……大旦那様って満久会長のことですよね？　臥せっていらっしゃるって、どこかお悪いんですか？」

「この館の中では竜徳寺家の皆様を役職名でお呼びすることはありません。様付けでお呼びするように」

厳しい口調で言われるが、肝心の質問には答えてもらえない。歩きだしながら、
立花は聞こえよがしにぼやく。

「まったく。わたくしには助手などいらないというのに……」

「わたくしはこの館で執事として勤めて五十年になります。あなたを身近に置きたいという大旦那様のお気持ちはわからないでもないですが、いまさらでしょうに、まったく……」

歩夢には意味がわからない立花のぼやきは口の中でぶつぶつと続けられ、後半、ほとんど聞き取れなかった。しかし、どうやらこの人事が会長本人の意向らしいということは把握できた。

「会長……あ、いえ、満久様が俺、じゃない、わたしをこの館に？」

一度、選考で落ちた歩夢を拾い上げ、重役面接のチャンスを与えてくれたのは会長の満久氏だったが、この館への出向も満久氏の意向なのか。

立花が足を止め、不機嫌な顔で振り返った。

「そうです。大旦那様のご意向ですから仕方がありません。当分のあいだ、あなたにはわたくしの見習いとして勤めてもらいます。早くここに慣れて、自分で判断して動けるようになってください。指示待ち人間ではこの館では勤まりませんよ」

不機嫌な口調でつけつけと言われた。歓迎されていないのがびしびし伝わってくる。

やる気が一気に目減りしそうになるのを、いやまだ初日だと自分を叱って持ち直す。

「がんばります。よろしくお願いします」

歩夢は立花の目をしっかりと見つめて言い、深く頭を下げた。

立花は態度こそ冷たいが、一応仕事を教えてくれるつもりはあるらしく、ここが貯蔵庫、一つ向こうが厨房、向かいは洗濯場、ここが事務室、使用人用のトイレと階段はここ、大旦那様のご一家がお使いになる「表」のトイレと階段は使ってはいけません——とそれぞれのドアを指差して教えてくれた。

事務室は十畳ほどの洋室に事務机が向かい合って二つあり、周りにキャビネットや給湯器などが置かれ、普通の会社の事務室と変わらぬように見えた。パソコンとプリンターはさほど古くないタイプのようだし、入り口横にはタイムカードも置いてある。

「朝晩の出退勤は忘れずタイムカードを付けてください。……まったく。昔は使用人は全員、住み込みが当たり前で、遅刻も早退も残業も関係なかったものですが」

「そうなんですね……」

返事に困るぼやきへあいまいにうなずいた。

事務机の一つが歩夢の机だった。カバンを置き、業者の出入りがあるからと貴重品は鍵付きのロッカーにしまわされる。立花の考え方はともかく、普通に働きやすい環境のようで、ほっとした。

「このドアから向こうは『表』です」

観音開きのドアの前で立花が歩を止める。その背がすっと伸びた。

「このお館にはご当主の満久様、満久様のご長男、豊久(とよひさ)様、豊久様の奥様の玲香(れいか)様、お二人のご長女で幼稚園に通っていらっしゃる咲姫様がお住まいでいらっしゃいます。満久様は大旦那様、亡くなられた満久様の奥様は大奥様、豊久様は旦那様、玲香様は奥様、咲姫様のことはお嬢様とお呼びします。ご当主家はほかに、先ほどお会いした政宗様、政宗様の下に秀久様がいらっしゃいます」

胸ポケットに入れておいたメモ帳を取り出したが、書き終わる前に、

「行きますよ」

と立花が扉を開いた。

どきどきしながら「表」へ踏み出すと、そこは吹き抜けの広い玄関ホールだった。「裏」とはちがう、華やかで贅沢な空間が広がっている。

二階の天井から下がる、直径が二メートルはありそうな巨大なシャンデリアにまず目を奪われた。次に正面の扉脇に置かれた、子供の背丈ほどもありそうな大きな花瓶が目に入ってくる。壁面に何体も飾られている古代ギリシャ風の彫像も迫力だ。大理石の床も、ホールに面して並ぶ、レリーフが浮き彫りにされた樫の扉も、贅沢で重厚な印象を強めている。

視線を返せば、深紅のカーペットが敷かれた幅の広い階段があった。つややかな飴色をした優雅な階段が色鮮やかなステンドグラスの窓に向かってのび、踊り場で右と左へ分かれて二階へつながる。

歩夢が借りているアパートの一室がまるっと収まって、まだ余りそうな広さの玄関だった。

(あの花瓶だけでもとうさんとかあさんのお墓が建つかも……)

つい値段を想像してしまい、いけないいけないと自分を叱る。

「こちらが食堂、厨房とつながっています」

立花は玄関扉から向かって右手の両開きの扉を指し示し、次にホールを挟んで反対側にある同じよ

うな両開きの扉を「こちらが客間です」と指した。

「昔は政財界のお客様をお迎えしてよくサロンが開かれていました。客間の奥に書斎があります。大旦那様のお部屋はこちらです」

客間の裏を通る廊下を立花の後ろについて歩く。表の庭とはまたちがう、可愛い花が咲き乱れる中庭を見ながら突き当たりまで行くと、そこにも両開きの扉があった。

ノックのために立花が手を上げるより早く、扉が内側から開いた。

政宗だ。

立花がさっと扉の脇にどき、頭を下げる。歩夢もあわててそれにならった。

「俺は社に戻ります。見送りはけっこう。また明日、顔を出します」

「は。お気をつけて行っていらっしゃいませ」

政宗は去り際にちらりと歩夢を見た。

(目が合った!)

それだけでうれしくなってしまう。

立ち去る政宗の背中をぼうっと見送った。

(やっぱり握手してもらっておけばよかったな)

「なにを突っ立っているんですか。行きますよ」

低い声で叱るように言われて、はっとする。

「あ、はい、すみません」

顔を引き締め、立花のあとについた。

三十畳はありそうな広い部屋だった。手前側は応接セットやライティングデスク、本棚が置かれ、気持ちのいいリビング風にまとめられている。だが、部屋の奥にあるベッド周りの様子はまるでちがった。モニターや点滴台、医療器具の載ったカートが置かれ、白衣の看護師が点滴の調節をし、医師が歩夢にはなにかわからない機器をのぞき込む。近づくと薬品臭が鼻をついた。

まるで病院のような設備に囲まれ、満久氏はガウンを羽織り、リクライニング機能のついたベッドで半身を起こしていた。

酸素マスクをつけているその顔を見て、歩夢は驚いた。半年前に面接で会った時より一気に十歳ほども年をとって見えたからだ。

(面接の時はあんなにお元気そうだったのに……)

げっそり痩せて細くなった顔と身体。見ただけで重病なのが知れる。

「大旦那様、ご気分はいかがですか」

立花がとても優しく尋ねる。満久氏が無言でうなずく。

「お熱もなく、血圧も安定していらっしゃいます。息苦しさもほとんどないかと」

横から医者が教えてくれると、立花は「それはようございました」とうれしそうだ。

政宗に対する時の表情や口調もそうだったが、立花が主とその息子に対して敬愛の念を持って誠実に仕えているのが伝わってくる。

「大旦那様、椎葉歩夢さんをお連れいたしました。今日からわたくしの下で働いていただきます」

うながされて、歩夢は立花の後ろからベッドのそばへと寄った。

「は、初めまして……椎葉歩夢です。よろしくお願いします」

頭を下げる。満久氏の顔に笑みが浮かんだ。筋張った手で酸素マスクをとる。

「初めて、では、ないだろう……面接で、会った」

切れ切れだったが、しっかりした声だった。歩夢は目を丸くした。

「おぼえていてくださったんですか?!」

もちろんだと言うようにうなずかれる。竜徳商事は大企業だ。最終面接だけでも何百人と会っているだろうに。

「椎葉、歩夢……おかあさんは椎葉美津……旧姓は、水原だね?」

また別の驚きで歩夢は目を見張った。

「母をご存知なんですか?」

「……どんな、おかあさんだった?」

思いがけない質問だった。満久氏の眼差しはおだやかだが、どこか熱っぽい。

政宗にも親の名前を尋ねられたり、不思議な質問をされたりして面くらったが、いったいなんなんだろう。

「優しい、おかあさんだったか?」

問いを重ねられて、「はい」と歩夢はうなずいた。

「保育士をしていて……いそがしかったはずですが、わたしとの時間は大切にしてくれていたと思います。わたしが料理を失敗すると、まずいまずいと言いながらも絶対残さず食べてくれて……」

話し始めると、怒涛のように母の記憶がよみがえってきた。

「三年前に突然脳溢血で亡くなったんですが、当日まで本当に元気で、めったに風邪も引かない人でした。明るくて、韓流スターが大好きで、定年になったら現地までコンサート観に行くんだって言ってて……よく笑って、よく食べて……わたしの話はいつも真剣に聞いてくれる……いい母でした」

鼻の奥がツンとして、声が湿ってきた。

「……すみません、しゃべりすぎました」

感情を抑えてあやまると、満久氏は「いいんだ」と言うようにゆっくりと首を横に振った。その目も少し潤んでいる。

「いい、おかあさん、だったんだね？」

「はい！」

「……おかあさんは……幸せだった？」

はっとする問いだった。歩夢は少し考えてからうなずいた。

「はい。母に幸せかどうか聞いたことはありませんでしたけど……父が亡くなった時には大声で泣いて……目が溶けちゃうんじゃないかと思うぐらい泣き続けてましたが……でも、母は幸せだったと思います。父とわたしのことが大好きで……友達もたくさんいて……」

いけない。これ以上話したら、泣いてしまう。

歩夢は一度下を向いて、長く息を吐いた。ここは職場だ。取り乱してはいけない。

「そうか……おかあさんは、幸せだったか……」

うれしそうに、けれど、寂しさのほうが勝っているつぶやきだった。

「あの、母とはどういう……」

どうして大財閥の当主が母のことを聞きたがるのか。その理由を知りたかったが、横から立花に、「う

おっほん！」とわざとらしく咳払いをされて、じろりとにらまれた。医師も、

「満久様、酸素濃度が下がっていますので……」

と、満久氏がはずした酸素マスクを口元に当て直した。

「では大旦那様、わたくしたちはこれで下がりますが、なにかございましたらお呼びくださいませ」

立花が慇懃（いんぎん）に腰を折る。歩夢も横で、胸に渦巻く疑問を抱えながら頭を下げた。

どういうことなんだろう。もやもやしながらドアの外に出たところで、

「どのようないきさつが大旦那様とご母堂のあいだにあったとしても、あなたがここで執事見習いとして働くこととは関係ありませんからね。勘違いなどせず、分をわきまえて勤めなさい」

と立花にきつい口調で釘を刺された。

「え、じゃあ立花さんはなにかご存知なんですか？　わたしの母とこちらになにか関係が……」

「関係などあるわけがないでしょう！」

言下に否定される。いやでも、今「どんないきさつがあったとしても」っておっしゃいましたよね、とツッコむことも許されない雰囲気だ。

「とにかくあなたは誠心誠意、この館で働けることに感謝して勤めなさい！」

いやもう、感謝はめちゃくちゃしてますけど。

「はい……」

もうなにを言う気力もなくして、歩夢はおとなしくうなずいた。

初日はおぼえなければならないことだらけで、それだけに追われて日が暮れた。

執事とはどんな仕事をするのか、そもそものところがわかっていない歩夢に、立花はいらだってい たようだ。二言目には「会社員気分で勤めてもらっては困る」と苦言を頂戴したが、めげずに質問を 連発して、館の家事全般の総監督と家計の管理、そしてホテルのコンシェルジュのように主人家の人々 の要求に応えるのが執事の務めらしいと把握できた。

「それだけだと思ってもらっては困ります」

執事の仕事内容を確認する歩夢に、立花は顔をしかめた。

「竜徳寺家の執事であれば、基本的な家事がこなせるのはもちろん、フォーマルなテーブルのセッテ ィング、コース料理の給仕の仕方、ソムリエには及ばずともお食事に合わせたワインのチョイスがで きる程度のワインの知識、季節ごとの冠婚葬祭に合わせた装いの知識、各種礼状や挨拶状の作成、ま た竜徳寺ご本家の方々のみならず、ご親戚の方々のお顔とお名前、ご職業、また竜徳寺関連の企業と 資本関係、これらは最低、頭に入れておいてもらわないと」

「え、えっと……テーブル……給仕……ワイン？　冠婚葬祭……あとなんでしたっけ……？」

メモをとる手が追いつかない。とても自分には務めきれないのではないかと不安になったが、

「立花さんはああ言うけど、今はそこまで格式ばったお食事はホテルを使うから大丈夫よ」

家政婦の一人であるマリカはそうささやいてくれた。正面玄関で政宗を出迎えた立花の後ろにいた 女性だ。館に勤めて五年、歩夢とは一つちがいだという。もう一人の家政婦はキヨミといい、こちら は立花に年が近かった。

「けど旦那様はマナーにうるさいから、最低限の給仕とテーブルセッティングは勉強しといたほうが

いいと思うわ」

「あ、ありがとう！」

立花の要求水準の高さにうろたえる歩夢にはマリカの現実的なアドバイスはありがたかった。

ただ、仕事中は茶色く染めた髪をきゅっと後ろで縛り、黒のドレスシャツにスラックス、濃紺のエプロンにナチュラルメイクという恰好だったマリカが、「お疲れ様ー、お先に失礼しまーす」と帰っていく時にはつけまつげにフルメイク、原色の派手な服を着ていたのには驚いたけれど。

歩夢のほうは、

「見習いとはいえ執事だというのに、旦那様方のご夕食の給仕や片付けもせずに帰るとは……」

と立花にねちねち言われながらだったが、定時の十七時に帰してもらえた。

「ふー」

竜徳商事の入社式に参加するつもりだったのに……まさかの出向命令で、竜徳寺本家で執事をすることになるとは……。

怒涛のような一日を思い返しつつ、歩夢は今度は裏門から外へと出た。

歩道を歩きだしたところで、背後から短くクラクションを鳴らされる。

なんだ？　と思って振り返ると、夕暮れでも鮮やかな深紅が目に飛び込んできた。アルファロメオだ。裏門の脇に停められた車から長身の男が降りてくる。

「え、政宗様？」

「そろそろかと思って来てみたが、ちょうどいいタイミングだったな。話がある。少し時間をもらえるか」

「え、え」

いきなりそう切りだされ、歩夢は目を見張った。

「どうだ。なにか予定があるなら、日を改めるが」

予定などなにもない。ないけれど……。

「あ、ありません、なにも！　で、でもどうして……」

「車の中で話す。家まで送ろう」

「いえ、そんな、家までって……」

立花に朝、当主家の方の車に乗るなど言語道断と教えられたのに。しかし、

「立花さんの言ったことなら気にしなくていい」

あたふたする歩夢を尻目に、政宗はさっさと車に戻ってしまう。

いいんだろうか。車に乗って。歩夢はいそがしく自問する。

立花の言葉はともかく、竜徳寺政宗に家に送ろうと言われて、どこかのプリンセスでもあるまいに、「ではよろしく」などと答えていいものか。朝は門から玄関まで乗せてもらったけれど、それとこれは話が別だ。家へ送ってもらうなんて……。

考えがとっちらかっておろおろしていると、

「どうした。早くしろ」

運転席の窓が開いてせかされた。裏道とはいえ、時々車が通り過ぎていく。

「あ、はい！」

歩夢は小走りで助手席へと駆け寄った。

朝も乗せてもらった車に乗り込んですぐ、

「家はどこだ」

と尋ねられた。

「あの……ホントにいいんですか、そんな……」

「話があるのは俺のほうだ。家を知られたくないなら、近くまででもいい」

「知られたくないなんてことは全然ないです！」

歩夢はあわてて、自宅の住所を政宗に告げた。

「それであの、お話って……」

気になって自分から切りだすと、

「朝、立花さんと一緒に父の部屋に来ていたな」

確認の口調で問いを投げられた。

「はい。今日からお屋敷で勤務するのでそのご挨拶を……」

「その時、父になにか言われたか」

「言われたというか……大旦那様はわたしの母のことをご存知のようでした。どんなおかあさんだったか、とか、おかあさんは幸せだったかと聞かれました」

正直に答える。政宗の横顔に西陽の最後の光が当たり、政宗は眉をひそめて目を細めた。それがまぶしさのせいか、それとも自分の答えのせいか、歩夢にはわからない。

「ほかには」

「特に……あ、でも、立花さんにはわたしの母と大旦那様にどんないきさつがあっても関係ない、このお屋敷で働けることに感謝して励みなさいと言われました」

「立花さんらしいな」

溜息まじりに政宗がつぶやく。

「あの……政宗様もわたしの母のことを聞いていらっしゃいましたよね？　あれは……」

「君がおかあさんからなにも聞いていないなら、それでいい」

それでいいと言われても歩夢の疑問はなに一つ解消されていない。かといって、政宗になんでもいいから教えてくれと食い下がるのもためらわれ、歩夢は首をひねりながらうつむいた。

「……俺にも、本当のところはわからない」

少し柔らかくなった声が落ちた。

「くどいようですまないが、君は竜徳商事から出向で来ることになったんだろう？」

「はい……もともとは一次選考で落とされてたんですけど、会長の特別のご判断で重役面接を受けさせてもらえることになって、それで内定をもらいました。今日は入社式に出るつもりで本社へ行ったら、突然お屋敷へ出向するようにと人事から辞令を渡されて……」

朝、話したことをもう一度丁寧に説明する。

「……なるほどな……」

話しているあいだにも、車は夕方の渋滞で混み合う基幹道路を走る。前を向いたまま、政宗はまた目を細めた。

「君のおかあさんは竜徳寺について、なにも話したことはなかったんだな？」

その質問に、歩夢は助手席から身を乗り出すようにして、こくこくとうなずいた。

「かあさ……母が大旦那様と知り合いだったなんて、聞いたこともないです！　政宗様のことも、こんなイケメンな社長さんがいるのよーとかも言われたことなくて！」

「……イケメンかどうかはともかく」

ちらりとこちらを見て、政宗はすぐに視線を前に戻した。

「君がおかあさんからなにも聞いていないとすれば……やはり、父の考えなんだろうな」

「大旦那様の……？」

どういうことなのか。

「さっきも言ったように、父がなにを考えているのか、本当のところは俺にもわからん」

政宗の言葉よりもそのあとにつかれた溜息の重さのほうが、歩夢には気になった。

今日挨拶した満久氏は半年で別人のように病み衰えていて驚かされた。立花はなにも教えてくれなかったが、マリカは声を潜めながらも、満久氏は膵臓にできたガンの末期で、歩夢が来る少し前から自宅療養となったとストレートに教えてくれた。

『末期って……』

『もう長くないの。今日でも明日でもおかしくないんだって。気の毒よね、七十歳なんてまだ若いじゃない？』

酸素マスクをつけねばならない様子に重体なのだろうとは思っていたけれど、マリカの話は少なからずショックだった。

そんな容態の満久氏にいったいどんな思惑があるというのだろう？

「一つ、君に頼みがあるんだが」

考え込んでいるところにそう声をかけられた。「はい」と顔を上げる。

「君のおかあさんの写真を見せてもらえないだろうか」

「母の……？」

「確かめたいことがある。迷惑か」

写真を見せるぐらい、別に迷惑でもなんでもない。歩夢は二つ返事で了承した。


「すごく狭くて、ごちゃごちゃしてますけど」

ことわりを入れて古い木造アパートに政宗を案内したが、鍵を差したところで、「これは本当に現実か」と疑問が湧いた。今朝ドアを閉めながら、次にこのドアを開く時にワイアールの竜徳寺政宗が隣に立っているなどとは微塵（みじん）も想像していなかったというのに。

手が震えだす。

「あ、ご、ごめんなさい……緊張しちゃって」

うまく鍵を回せない。と、

「急な客であわてるのは当然だ。こちらこそすまない」

政宗に詫（わ）びられた。

（この人、本当にイケメンだ）

別の意味でもどきどきしてしまう。怜悧な美貌にすらりとした長身。表情も物言いもクールだけれど、特権階級的なおごったところはないし、親切だし、目下の人にもきちんとあやまることができるなんて、反則だ。いや、顔も性格もよくてはいけないというルールはないけれど。

「どうぞ」

胸の高鳴りを抑えて、なんとか鍵を回した。ドアを開いて壁際のスイッチを押すと、ひと一人が立つともういっぱいになる玄関と一間しかない六畳間が目に飛び込んでくる。朝ちゃんと布団を押し入れにしまっておいたのはよかったが、今日一日竜徳寺の館で過ごした目には「ここはトイレだろうか」という狭さに見える。

「ほ、ほんとに狭いんですけど」

いまさら、大富豪の次男である政宗を家に連れてきたのが悔やまれた。近くのファミレスで待っていてもらって、写真だけ持って走ればよかった。

「突然、すまない。お邪魔する」

しかし政宗はきっちりと頭を下げてから靴を脱いでくれる。

一歩上がったところで、政宗の視線が押し入れ前の小さな台に向けられた。そこには両親の遺影と位牌(いはい)とともに白い箱が二つ、並べてある。

「……あ……両親のお骨なんです。まだお墓が建てられなくて……仏壇も買えてなくて……」

毎朝毎晩、その前で手を合わせている歩夢にはもう見慣れたものだが、骨壺が部屋にそのまま置いてあるのは奇異かもしれない。あたふたと言い訳めいた説明を口にする。

と、政宗は「ご挨拶してもいいか」と聞いてくれた上で、まっすぐに台の前へと向かった。けばだった畳にかまわず正座すると、しばし母のほうの遺影を見つめてから鈴を鳴らし、合掌する。

「あ、ありがとうございます……あの、お茶を淹(い)れますから、どうぞこちらに……」

ちゃぶ台の横の、もう平たくなった座布団を裏返して「足、崩してくださいね」と政宗に勧めた。

「……この写真を選んだのは君か」

遺影をもう一度振り返り、政宗が尋ねてくる。

歩夢が母らしいと選んだのは、保育園の行事でおでこに大きな星をつけて満面の笑みを浮かべている一枚だった。

「いい写真だ」

「はい。おかしいかなとは思ったんですけど、とっても母らしい笑顔だったので」

やはり折り紙の星をつけている写真は遺影にはふさわしくなかったかと思ったが、
と政宗はうなずいてくれた。それがうれしくて、

「そ、そうですか？　母はずっと、保育士をしていたんです！　小さな子が大好きで、子供たちに負けないぐらい元気な人で、母ならこの写真を喜んでくれるだろうなと思って、それで……」

つい勢い込んで話してしまった。

「あ、すみません、つい……」

「いや」

政宗は首を横に振る。その目は心なしか、柔らかい光をたたえている。

「明るいおかあさんだったんだな。立ち入ったことを聞くようだが、墓がないというのは……」

えへへと歩夢は苦笑いした。

「お恥ずかしい話なんですけど、お葬式を出すだけしか余裕がなくて。でも、わたしもこうして社会人になれたので、これからは少しずつお金を貯めていこうと思ってます」

「……なるほど」

うなずく政宗に、

「あ、ほかにも母の写真はありますけど、ご覧になりますか？」

歩夢は尋ねて、テレビボード代わりの横置きにしたカラーボックスの前にかがみ込んだ。アルバムを引っ張り出す。

「わたしの写真のほうが多いですけど」

と政宗の前に広げる。政宗は食い入るように赤ん坊の歩夢と、父と母の写真を見つめた。無言でページをめくる。大きな笑顔の母と、同じように口をいっぱいに開いて笑っている幼稚園児の歩夢のところで、その手が止まった。

「……似ている……似ているが、顔だけだ……」

低いつぶやきがその口から漏れる。

「似ているって……？　誰が、誰にですか？」

「…………」

政宗はすぐには答えてくれず、またアルバムのページをめくりだす。歩夢が大きくなるにつれて写真の枚数は少なくなる。最後の一枚は大学の入学式に向かう日のものだ。亡くなる一年前。写真の中の母は少し年をとっているが、楽しそうな笑顔は変わらない。

「……今朝、君を見た時」

なにかつらいことをこらえるように、深く眉間にしわを刻んで政宗が口を開いた。

「俺の母にあまりに似ているので驚いた。……もしかしたら、俺の弟ではないのかと……」

「え?! お、弟って……わたしが、政宗様の……ってことですか?」

そうだとうなずかれ、歩夢は目をぱちくりとさせた。

「そんな、ありえません! え、あれ、でも、もしうちの親が結婚する前なら……」

政宗は公表では三十三歳のはずだ。歩夢より十一年上だが、歩夢は母が三十九の時の子で、母が産んでいてもおかしくはない。父と母が結婚したのは……。

指を折ってあたふたと計算する歩夢に、「大丈夫だ」と声がかかる。

「名前もちがうし、写真を見せてもらって確信したが、別人だ」

「そ、そうですよね……」

あわてましたと歩夢は政宗に笑ってみせる。その笑顔に、政宗はまぶしそうに目をすがめた。

「……俺の母は……父の愛人だった。兄の豊久と弟の秀久とは、俺は母がちがう」

突然の話に、歩夢はまた目を見開いた。竜徳寺当主家の説明を聞いた時に、なぜ政宗だけ「久」の字がついていないのだろうと不思議に思ったけれど。

「父が……俺の母によく似た人を忘れられずにいるのだろうと感じたことは何度かある。それが君のおかあさんだったんだろう」

「大旦那様はそれだけ政宗様のおかあ様のことがお好きだったんですね……あ、そのおかげで、もしかしたら、わたしの就職も……」

そうだとしたら、すべて納得がいく。しかし、政宗はゆっくりと首を横に振った。

「順番がちがう」

「順番って……」

どういうことだ？

「それに君のおかあさんと俺の母が似ているのは顔だけだ。……俺の母はこんなふうに明るく笑える人ではなかった」

歩夢はその言葉に思わず苦笑いを漏らした。

「あはは……明るくて、いっつも前向きなのは母の長所でした」

「……だから君のように素直な子が育ったんだろうな」

さらりと褒められた。

「え、あ、そんな……」

顔が急激に熱くなり、胸の高鳴りがぶり返す。しかし、政宗はそれだけ言うと、おもむろに立ち上がった。

「急な頼みだったのに、写真を見せてくれてありがとう。社に戻る」

「え、え、あ！　俺、お茶も出さないで……！」

「写真だけ見せてもらうつもりだった。気にするな」

そう言いながら、政宗は内ポケットからスマートフォンを取り出した。

「寿司、懐石、中華、イタリアン、フレンチ、焼き肉、どれが好きだ」

突然の質問に、歩夢は思わず「焼き肉」と答えてしまう。

「アレルギーは」

「ありません」

ぴぴっとスマホを操作し、政宗は通話を始めた。止める間もなく、「宮崎牛ヒレステーキ鉄板焼き弁当の配達を頼む」とここの住所を告げてしまう。

「いきなり押しかけて悪かった。お詫びとお礼に夕飯をおごらせてくれ。三十分ほどで着くはずだ」

では、と長い脚でたった数歩で玄関に戻る。

「邪魔したな」

靴をはいてドアに手をかける政宗の背に、

「あ、あ、あの、ごちそうさまです！」

と歩夢はあわてて立ち上がり、頭を下げた。

ぱたりとドアが閉まってから、へなへなとその場に座り込む。

はっと気がついたのはそのあとだ。

「握手！　してもらえばよかったあ‼」

一人で頭をかかえてのけぞる歩夢だった。


歩夢の竜徳寺家での勤めが始まった。

最初の数日こそ自前のスーツだったが、すぐに歩夢にもフォーマルが用意された。格式ある竜徳寺家の執事にふさわしい装いをと言われ、十五時まではモーニング、それ以降は燕尾服に着替えるよう指示されたのには驚いた。さらに立花の厳しい指導のもと、歩夢は執事としての立ち居振る舞いや、建物と庭の管理、食事の給仕や食材の手配、当主家の人々の日常生活の世話なども学んでいった。立花はパソコンやネットが苦手らしく、ネットを使ったほうが便利なこまごまとした調べものや手配はすぐに歩夢の仕事になった。

二言目には、会社員気分で……と歩夢を非難するだけあって、立花は父の代から竜徳寺家に仕えていた。高校を出てからずっと館に住み込みで、結婚してからも離れの一軒で暮らしていたという。本館裏手にあった古民家風の建物は住み込みの使用人のためのものだったと聞かされた。息子も娘もその家で育て上げたと胸を張る立花は、どちらかに残ってほしかったらしいが、二人とも学校を出るとそのまま外で就職してしまったと、残念そうだった。

「妻もずっと厨房で働かせていただいていたのに、なにが不満なんだか出ていってしまって」

「は、はあ……」

歩夢はあいまいにうなずくしかできないが、立花は本気で出ていった妻が恩知らずだと思っているようだった。昔は「使用人」は全員、住み込みだった、今は自分のほかに住み込みはおらず、お手伝いのキヨミとマリカも、コックの林（はやし）も、運転手の向井（むかい）も、庭師の後藤（ごとう）も、みんな通いだと立花のぼやきは続く。

「せっかく先代がわたくしたちのために家も用意してくださったというのに」

離れの長屋は立花が住む一軒以外、今はあいていると聞いて、歩夢は身を乗り出した。

「え、なら俺、じゃない、わたし、ここに引っ越してきてもいいですか?!」

そうしたら家賃が浮かせる。もしかしたら、まかないが増えて食費も浮かせるかもしれない。

「わたしなら、住み込み全然ＯＫです！」

会社勤めのような勤務形態が気に入らない立花にしても、歩夢が住み込むというなら喜ばしいだろう。そう思ったのに、勢い込む歩夢に、立花は目を釣り上げた。

「身元もはっきりしない者を館内に住まわせられるわけがないでしょう！　昔はしかるべきご紹介のある方でなければこのお館で働くこともできなかったんですよ！」

とまくしたてられた。

信用のおけない者が住み込みになるのはまずいらしい。ある意味、大旦那様の口利きなのだから最強ではないかと思うのだが、立花には立花のルールがあるようだった。

（いいアイディアだと思ったのに）

少しでも早く両親に墓を用意してやりたいが、許可が出ないなら仕方ない。

「部屋もあいてるんだし、夜の人手もあったほうがいいのに、立花さん、頑固よね」

マリカはそう言って眉をひそめた。二人で遅い昼食を厨房の隅でとっている時だ。立花と歩夢の話を聞いていたらしい。

「立花さんだって年なんだから。いくら医師と看護師が常駐してても、大旦那様になにかあったら、すぐに動ける若い人がいてくれたほうがいいじゃないねえ」

「大旦那様……本当にそんなにお悪いの？」

歩夢は声を潜めてマリカに尋ねた。いつなにがあってもおかしくないとは聞いているけれど。

「だと思うわ。そうじゃなきゃ、政宗様も毎日顔を出さないでしょ」

確かに政宗は日課のように館に顔を出す。マリカによると、それはここ一ヶ月ほどのことらしい。人気企業であるワイアールの社長業がいそがしいのだろう、朝だったり夜だったり、時間はまちまちだったが、来るとまっすぐに満久氏の部屋に向かい、五分ほど顔を見て引き上げていく。

（兄弟なのに温度差があるんだなあ）

同居しているのに長男の豊久はめったに父親の部屋に行かないようだったし、その妻の玲香も二日に一度ほどしか足を運んでいないようだった。二人の娘の咲姫は幼稚園から帰ってくると、

「おじいちゃまあ」

と必ず祖父の部屋に走っていくけれど。

咲姫は可愛い子だった。元モデルだった玲香を見染めた豊久が強引に引退させて結婚したと、歩夢はこれもマリカから聞いた。モデルをしていただけあって、玲香は長身ですらりとした美人だ。咲姫はそんな母親の美貌をしっかりと受け継いで子供モデルをしているが、目鼻立ちだけではなく、性格も天真爛漫（てんしんらんまん）で愛らしかった。

「あゆむ、これあげる」

なぜだか歩夢のことを気に入って、幼稚園で作ったものなどをプレゼントしてくれる。

「おじちゃんと行ったから、ナイショのおみやげ」

そう言って人気の猫キャラ・ミディちゃんのハンカチをそっと渡してくれたこともある。歩夢は、「これはお嬢様がご自分でお使いになったほうがいいですよ」と押し返したのだが、

「あのね、咲姫とおそろいなの」

と天使のような笑顔で言われては受け取らないわけにはいかなかった。

おじちゃんというと政宗だろうかと歩夢は思ったが、咲姫の「おじちゃん」にあたる人物はもう一人いる。豊久、政宗の弟にあたる、三男の秀久だ。

彼もよく館を訪ねてくるくせに、死が近い父を見舞うことはめったになかった。

「政宗、来てない？」

秀久の目当ては政宗だった。

「ちぇ。いっつもすれ違いか。あいつ、やっぱ俺のこと避けてんのかな」

「政宗様はおいそがしいのに毎日いらしてますよ。大旦那様を見舞われて、いつも五分ほどですぐお発ちになりますが」

と立花が苦々しげに嫌みをまじえて言っても、どこ吹く風だ。

「じゃあ豊久兄さんでもいいか。明日までに百万、どうしてもほしいんだよね。いい物件があるんだ。すぐに手付けを打たないと取られちゃう」

秀久は金策のために来ているのだった。

「あの人はダメね」

マリカはあっさりと切って捨てる。

「大旦那様は政宗様と同じように、秀久様にも系列の子会社をまかせたのよ。アパレルの。なのにすぐに潰しちゃって。真面目にやれないのよ。今はなんかライブハウスを買い取って、それの経営とかやってるらしいんだけど、もう赤字で借金だらけ。ここに来ては豊久様や政宗様に借金頼んでばかりなの」

そしてマリカは声を潜めて、「身内だったらがつんと怒ってやるんだけど」と前置きして、

「お金持ちにもクズは生まれるのね」

と結論づける。

歩夢はまだそこまで言いきれないが、お金に困っていそうなのに秀久が乗っているのがベンツだというのは引っかかっていた。

立花も秀久は嫌いなようだった。守衛から秀久が来たことを内線で伝えられ、歩夢がコーヒーを用意しようとすると「出さなくていい」と止められる。正面玄関への出迎えさえ、しなくていいと言われた。政宗が来たら、出迎えはもちろん、たとえ五分で発つことがわかっていても熱いコーヒーを用意するのに。

「いそがしいお仕事の合間を縫って大旦那様のお顔を見にいらっしゃる政宗様と、借金の申し込みのために来る人を同じ扱いにすることはありません」

「はあ……」

上司の立花が言うのなら聞くしかないが、満久氏の息子という同じ立場の二人を差別していいのだろうかと歩夢は疑問だった。その疑問が顔に出たのか、

「もちろん、秀久様がご所望になられたら、その時はご希望のお飲み物をご用意するように」

と言い添えられる。

秀久に対する態度ほどあからさまではなかったが、立花は長男の豊久のこともあまりこころよく思ってはいないようだった。次期当主としてうやうやしく接してはいるけれど、満久氏や政宗に対する時のように、心を込めて仕えているようには見えない。

その理由なのかどうか……。

ある日のこと、政宗はなにかの式に出席する必要があったのか、モーニング姿で現れた。いつものスーツ姿も颯爽としてカッコいいが、格式のあるフォーマルはさらに政宗の男ぶりを上げていた。

立花は玄関ホールで政宗を迎えると、

「よくお似合いでございます」

と目を細めた。

「まるで大旦那様が若返られたようでございます。本当に政宗様は大旦那様によく似ていらっしゃる。ビジネスの才がおありになるところも、お仕事に対して大変真面目でいらっしゃるところも、政宗様は大旦那様の血を一番濃く引いていらっしゃいます」

立花の褒め言葉に、政宗は「そんなに似ていますか」と苦笑気味に返す。

「ええ、ええ！　立花がボケていたら、大旦那様と間違えているところでございますよ！」

立花が大げさにうなずく。その時、政宗の顔になんとも言えない寂しげな影がよぎったように歩夢には見えた。

（政宗様？）

その翳（かげ）りの理由はわからなかったが、立花の政宗びいきには満久氏似だというのも大きい要因ではないのかと思えた。

「そうなの。政宗様が一番、大旦那様に似てるの。だから立花さんは政宗様が一番のお気に入りなのよね」

歩夢の推察はどうやら当たっていたらしい。マリカがそう教えてくれた。

「仕事も一番成功してるのは独立した政宗様でしょ？　豊久様は重役たちがしっかりしてるからなんとかなってるんだって話よ。だから立花さんは政宗様に大旦那様の跡を継いでほしいのよ。でも政宗様は次男で、その上ソトバラだから、そんなの絶対無理じゃない。だから立花さんは面白くないの」

「ソトバラ？」

聞き慣れない言葉に小首をかしげると、

「外腹。お妾さんが産んだ子ってこと」

マリカは端的に説明してくれた。

政宗自身からも政宗は愛人の子だと聞いた。秀久が政宗のことを兄と呼ばず、呼び捨てにするのもそのせいなのか。

「政宗様が中学校に上がる年に大旦那様がここに引き取って正式に自分の籍に入れたんだけど、大奥様が亡くなるまでは相当いじめられてたらしいわ。ママコいじめって本当にあるのね」

ママコは継子だろうと見当がついた。

「……そうなんだ……あの、じゃあ今、政宗様の本当のお母様はどうなさってるんですか？」

自分の母親とよく似ているという政宗の母のことが気になった。

「さあ、それはわたしも知らないけど。でも子供を手放す代わりに相応のものはもらったらしいわ」

「相応のもの……」

「お金よ、お金」

「…………」

ショックだった。お金をもらって子供を手放すのも、子供を引き取るために母親に金を渡すというのも歩夢には理解できない。

政宗は「似ているが顔だけだ」とつぶやき、「俺の母はこんなふうに明るく笑える人ではなかった」とも言っていた。歩夢の母を褒めるのとは裏腹に、自身の母への思いは冷めたもののように感じられたが……。

（でもこれはマリカさんが言ってるだけで、本当かどうかわからないし、おかあさんにはおかあさん

の事情があったかもしれないし）

　そんなひどいことが現実に起きていませんようにと願う。

　しかし、実の母親からどうやって引き取ったのかはともかく、政宗を引き取った満久氏にはやはり先見の明があったのではないだろうか。政宗は歩夢の目から見ても、人柄も能力も抜きんでている。

　見舞いに来る政宗にコーヒーを出すのはいつも立花だ。新人なのだからお茶出しは自分が、と歩夢が行こうとしても「政宗様のコーヒーはわたくしが持っていきます」と盆をとられてしまう。だが、出迎えで立花の横に並んでいると、政宗は「もう慣れたか」と一言二言、必ず声をかけてくれる。

（いい人だなあ）

　外見だけではない、接すれば接するほど、政宗のよいところが見えてくる。

（こんな人が本当にいるんだ）

　大富豪の息子に生まれ、さらにケチのつけようのない容姿まで備えているのに、おごらず、えらぶらず、仕事は熱心で才能がある。歩夢の家に立ち寄った時に「お礼に」と夕飯をおごってくれたのもスマートで、その上、政宗のチョイスは歩夢がこれまで食べたことがないほど美味しかった。

（恋人、いるんだろうな……）

　それを思うと自然に溜息が出る。

（あ、ちがうちがうちがう！）

　つい溜息をついてしまったあと、歩夢は一人で首を横に振って、頬をぴたんと叩く。

（これはあれだから！　同じ男として、政宗様みたいなカッコいい大人の男の人に憧れてて、そういう意味でうらやましいなっていう溜息だから！）

政宗のことを考えると胸がドキドキする。会うたび、うっとり見つめてしまいそうになる。恋人がいるんだろうかと考えるとせつない溜息が漏れる。

それは全部、「こんな大人の男になりたい」という理想を政宗が体現しているせいだと、歩夢は自分自身に繰り返し言い聞かせる。

（握手してほしいなって思うのも……）

もちろん、そういった意味での憧れゆえだ。ただ、自分にいくら政宗への気持ちは理想への憧れだと言い聞かせても、胸の底にただようせつないものは消えてはくれなかったが。

一度は家にまで来てもらったのが夢のように思えてくるほど、政宗はやはり雲の上の人だった。

勤め始めて二週間が過ぎても、政宗へのお茶出しはいつも立花だった。出迎え、見送りも立花が一緒で、歩夢は美味しかった夕食の礼さえ言うことができずにいる。政宗の恋愛関係を思って落ち込む権利など、自分にはない——そう思うと、また溜息が出てしまう。

せめてもう一度だけでも、挨拶以上に話せるチャンスがあったら……と思っていた矢先のことだ。

立花が別室で医師と治療方針の確認をおこなっている最中に政宗が訪ねてきた。

今だとばかりに、歩夢はいそいそと部屋へコーヒーを運んだ。

「政宗様、コーヒーをお持ちいたしました」

立花がいつもしているように、手前の応接セットのテーブルにソーサーを置く。

「様付けはいらない。さんでいい」

政宗はいつもと同じセリフを口にして、満久氏の枕元からこちらへと歩いてきた。

「あとコーヒーの用意もしなくていい。すぐに出る。……まあ淹れなかったら淹れなかったで、立花さんがうるさいんだろうが」

それも立花と政宗のあいだで毎回かわされるやりとりだ。政宗が用意しなくていいと言うと、立花はいらなければ飲まずにおいてくださいと答える。結局は政宗は少しだけ腰を落ち着けて、タブレットをのぞきながらカップをあける。

今も政宗はそう言いながらも椅子にかけるとカップを手にとった。

豊久や玲香、秀久などはコーヒーだ、紅茶だと淹れさせておいて、一口だけで平気で残す。出されたものをきちんと綺麗にする政宗はそれだけでも好感が持てる。

「あの……政宗様」

歩夢はカバンからタブレットを取り出す政宗に思い切って話しかけた。

なんだ？　というように政宗の視線がこちらに向けられる。フレームレスのスクエアの眼鏡越しにまっすぐに見つめられて、心臓が甘く跳ねだした。

「あ、あの……宮崎牛のお弁当、すごく美味しかったです。ごちそうさまでした。あんな、ちょっと写真をお見せしただけなのに、なんだかすみませんでした」

「口に合ったならよかった」

政宗は一つうなずく。

「時間があれば、一緒に店に行っておごることもできたんだが」

「そ、そんな……ま、政宗様と一緒になんて……！」

すごい勢いで首を振ると、政宗の口元にふっと笑みが浮かんだ。

「俺と一緒だとどうだと言うんだ。いやなのか」

「いいいい、いやな、いやなわけが……」

盛大に噛んだ。噛んだのも、言われたことも恥ずかしくて、顔がかあっと熱くなる。

「おあああ、み、見ないでくださぃ！」

あわてて顔を覆ってしゃがみ込む。

「俺、今真っ赤ですから！」

短い笑い声が聞こえた。——え、まさか、政宗様が笑ってる……？

「顔を隠しても仕方ないだろう。首まで赤いぞ？」

えっ、と歩夢は首にも手を回す。

「冗談だ。おまえはなんというか……からかいたくなるな」

（おまえ）

自分も一人称が「俺」になってしまったが、政宗も今、「おまえ」と言わなかったか。

「…………」

しゃがんだまま顔を上げると、政宗と目が合った。

「……ああ、すまない。失礼な呼び方をしてしまったな」

「いえ……」

全然かまわない。むしろうれしい……。

（政宗様……）

ほんの数秒のことだったかもしれないが、政宗と視線をかわした。もし空気に色がついたら、ぽっと桜色になったんじゃないかと思うようなほのかに甘いものが二人のあいだに満ちた——ような気がしたけれど、気のせいだろうか。

「……………」

政宗がなにか言おうとして、唇が開きかけた、けれどその時、鋭い電子音が響いてきた。

断続的に鳴る警報音に政宗の顔に緊張が走る。歩夢も急いで立ち上がった。

看護師があわてた様子でモニターをチェックし、満久氏の脈をとる。立ち上がった政宗が、寝台に大股で歩み寄る。

「どうかしましたか！」

「血圧が急に下がって……先生を呼ばないと」

「お呼びしてきます！」

歩夢は踵を返して扉に向かった。

そうして——歩夢の人生はその日から思わぬ方向へと転がりだすことになったのだった。いや、落ちたはずの竜徳商事から選考やり直しの通知が来た瞬間から、もう歩夢の人生は音立てて別方向へと流れだしていたとも言えるのだけれど。

〈2〉

その夜から満久氏は危篤状態となり、病室には入れ替わり立ち替わり親戚やら関係者やらがやってきて、歩夢たち使用人は大忙しとなった。こんなに広くてどうするんだろうと思った玄関ホールも、来る人を出迎え、帰る人を見送っていると必要な広さなのだと納得できた。

翌朝、満久氏が静かに息を引き取ったあとがまた大変だった。

歩夢は立花に叱られながら、ベテラン家政婦のキヨミに教えてもらいながら、通夜と葬儀の準備に走り回った。

葬儀は菩提寺(ぼだいじ)でいとなまれたが、広い境内は弔問客の車で埋まり、本堂も立錐(りっすい)の余地(よち)もないほどぎっしりと人が詰めかけた。社葬は別で執りおこなわれるというのにだ。

立花もキヨミも休む間もなく立ち働いていたし、もちろん歩夢もマリカもがんばった。だが、竜徳商事をはじめ系列の会社から手伝いのためによこされた人たちを取り仕切り、無事に葬儀を終わらせたのは政宗だった。豊久はむだにバタバタと動き回り、あれは！　これは！　とわめくばかりだったが、政宗の采配は見事だった。必要な判断を迅速に素早くおこない、大勢の人間を上手に使ってスムーズに葬儀の準備と片付けを終わらせてみせた。

そうして葬儀が終わり、初七日が過ぎ、満久氏の部屋も綺麗に片付けられて、ゴールデンウィークを目前にした四月末のある日、今度は遺言書の公開がおこなわれることになった。歩夢たちはほっとする間もなく、親戚やら会社の重役やらが集まるという、遺言書公開のための準備に忙殺された。

「遺言書の公開ってドラマなんかで見たことあるけど、ホントにそんなに大変なのかな」

食堂の椅子を客間に運ぶという作業の合間に歩夢は小さな声でマリカに聞いてみた。

四十人近い人が集まると聞かされて、歩夢にはなぜそんな大がかりなことになるのかわからなかったからだ。

「そりゃ大変よ」

マリカはそんなこともわからないのかとあきれたようだった。

「一応、跡取りは長男の豊久様ってことになってるけど、大旦那様個人の資産をどうするか、持ってる株を誰にゆずるかでいろいろ変わってくるの。だからぴりぴりしてるでしょ、旦那様」

マリカの言う通り、葬儀が終わってからずっと豊久は機嫌が悪く、ちょっとしたことで歩夢も怒鳴りつけられている。そんな豊久の態度に、

「大旦那様の品格と落ち着きを旦那様にも早く身につけていただきたいものだ」

と立花が裏で溜息をつくことも多い。

「確かに旦那様は最近、あまり機嫌がよくないみたいだけど……」

ほら、とマリカは顔を寄せてくると声をひそめた。

「大旦那様は政宗様がお気に入りだったから、もしかしたら会社の経営にかかわる大事なことを政宗様にゆずるかもしれないって心配してんのよ」

歩夢は首をひねった。やはりよくわからない。

「でも……政宗様はワイアールの社長で、それ以外の会社には入ってないよね？　旦那様はあちこちの会社の重役を兼任していらっしゃるけど……」

竜徳商事でも豊久は常務取締役の役職についていたはずだ。

「くわしいことはわたしもわかんないけど、なんかいろいろやり方があるんじゃない？」

葬儀後の豊久の不機嫌を、最初歩夢は父親を亡くしたことによる悲しみのせいかと思っていた。

しかし、生前、同じ館で寝起きしながらほとんど見舞いに行かなかったのと同様、豊久は骨壺が安置してある満久氏の部屋に近づこうとしなかった。家族なら毎日線香の一本でも上げればいいのにとマリカは言うが、それは歩夢も同感だった。歩夢は母が亡くなって三年たった今も、両親の骨壺を前に線香を上げて鈴を鳴らし、手を合わせるのが日課になっている。

ばかりか、豊久は、

「親父はどんな遺言を残したんだ。株券はどうなるんだ。おまえ、なにか聞いてるだろう」

そう立花を問い詰めていたこともあった。偶然通りかかった豊久の部屋の前で歩夢は豊久の大きな声を聞いた。

（この人は本当に自分の父親が亡くなったことを悲しんでない）

実際に豊久も妻の玲香も秀久も、通夜でも葬式でも涙一滴こぼさなかった。

政宗も人前では泣いている姿を見せなかったが、だが、葬儀の前、がらんとした本堂で祭壇を前にうつむき、肩を震わせているのをたまたま歩夢は見ていた。

政宗は兄弟の中で一番クールそうに見えて、一番見舞いにも熱心だった。

（政宗様は大旦那様のことを大事に思ってらっしゃったんだな）

愛人の子として生まれながら、中学生で本家の養子に迎えられたという政宗。その境遇には複雑な思いがあって当然だし、父親に対しても鬱屈や不満はあるだろう。だがそれでも、一人、棺を前に肩を震わせていた姿を思うと、政宗には父への愛情があったのだとしか歩夢には思えなかった。

そうして、豊久のいらいらが頂点に達して、歩夢やマリカばかりか立花まで大声で怒鳴られたのが四月二十八日、遺言書公開の日の朝食の席だった。

「配慮が足りず、申し訳ございませんでした……」

怒鳴られた立花は慇懃に腰を折って詫びたが、その横顔はくやしそうに歪んでいた。執事としての立ち居振る舞いは一流だという自負がある彼にとって、ほかの使用人の前で怒鳴られるなど、屈辱以外のなにものでもなかっただろう。

「知っているぞ！　おまえは政宗びいきだからな！　政宗が親父の跡を継げばいいと思ってるんだろう！　くそっ‼　いくら親父の遺言があったって、俺を全部の会社から締め出すわけにはいかないんだぞ！」

「……大旦那様はそんなことをお考えではなかったと思います……」

二人のやりとりを聞いて、歩夢にも今日の遺言書公開が重大事なのだと、おぼろげながら理解ができてきた。

「あなた。咲姫が怖がります」

激昂する豊久に妻の玲香が声をかけた。荒ぶる夫にあわてるでもない、冷静な声だ。確かに咲姫は可愛い顔を引きつらせて、怒る父親をじっと見ている。

「咲姫は幼稚園だろう！　遅れるぞ！」

さっさと行けとばかりに怒鳴られて、咲姫の目に涙が浮かぶ。

「お嬢様、さ、椎葉とまいりましょう」

これ以上、咲姫にとばっちりがきてはかわいそうだ。歩夢は咲姫を手招くと食堂から連れ出した。

玄関ホールで幼稚園の帽子をかぶせ、カバンを斜め掛けにしてやる。

「おとうさまは今日、お仕事で大事なことが決まるので、いらだっていらっしゃるんですよ。お嬢様が帰っていらっしゃる頃にはもう落ち着いていらっしゃいますから」

しょげているのがかわいそうで、そう声をかけた。

「……おとうちゃま、いつもおこってる」

咲姫は悲しそうにうつむく。なんと慰めればいいのかわからない。

「……お仕事が大変なんですよ」

とりあえずフォローめいたことを口にする。

「……おじちゃんがおとうちゃまならいいのに」

小さなつぶやきだったが、その意味の不穏さは大きい。歩夢は自分の耳を疑ったが、咲姫に問いただすより早く、

「お嬢様、お待たせいたしました！」

毎朝、咲姫を幼稚園に送る運転手が大きな声で言いながら出てきた。

「あ……では行っていらっしゃいませ、お嬢様」

頭を下げて見送る。

（なんだったんだ、今の。まさか……政宗様のこと……？）

前にも咲姫は「おじちゃん」と遊びに行ったと言っていた。政宗は咲姫にはいつも優しそうな笑顔を見せるけれど……。だが、それをいえば秀久も咲姫には甘い。金、金と言いながら、時折、小さな

女の子が好きそうな可愛いグッズをお土産に持ってくるのだ。

（いや、でも、お嬢様はまだ小さいから。単純に優しい「おじちゃん」がおとうさんならいいなって意味だけで……）

玲香と政宗、あるいは秀久がどうこうという話ではないだろう。……ありませんように。いや、秀久ならいいけれど。万が一、政宗だとしたら……。

胸にどろりといやなものが広がったところで、

「椎葉さん！　これ運んで！」

マリカに階段の上から大声で呼ばれた。さすがに今日は大階段の使用が許されている。

「あ、はい！」

（馬鹿なことを考えてるんじゃない！　今日はそれどころじゃないだろ！）

自分を叱り、歩夢は急いで階段を駆け上がった。


遺言書公開の場には豊久、政宗、秀久の三兄弟だけでなく、三人の叔父と従兄弟にあたる、竜徳商事の社長を務めている竜徳寺兼久（かねひさ）やその息子の忠司（ただし）も肩を並べて座り、本家分家の人間が大勢集まっていた。そのほかに、財閥系列会社の取締役クラスも臨席して、五十近く用意した椅子はすべて埋まり、さらに立っている人までいるありさまだった。

講演会のように最前列に用意された長机に満久氏の顧問弁護団三人が座り、その机に対して斜めの位置に三兄弟が座る形だった。そしてなぜだか、三兄弟と向かい合うように、弁護士団の机の反対側にも椅子を一つ置くようにと指示があった。

誰の席だろうと思いながらも歩夢は言われた場所にも椅子を置いた。

立花と二人、入ってくる人を席に案内したり、弁護士たちにお茶を出したりといそがしく動き回る。予定の時間がせまり、ではあとはおまかせしてと歩夢はそっと客間を出ようとした。そこで、

「あなたが椎葉歩夢さんですね？」

三人の弁護団の中央に座った長瀬（ながせ）弁護士に呼びかけられた。周囲の視線がいっせいに向けられる。

「あ、はい」

「満久氏のご要望により、この場に同席していただきたい。そちらの椅子に」

と、先ほど置いた、三兄弟と向き合う一脚を示された。

「え、え？」

満久氏の要望？　「聞いてないよー」とおちゃらけた芸人の声が脳内に響いた。

「うちの執事見習いですよ。親父の遺言になにも関係ないでしょう！」

豊久が顔色を変えて弁護団に向き直る。歩夢もうんうんとその主張に全面同意だ。立花も足早に長瀬弁護士のところにやってきて、「どういうことですか」と低い声で問いただす。

「詳細はのちほど。遺言書とその付帯書類の公開の時に」

長瀬弁護士は豊久と立花に向かい、毅然と反論を却下した。

「椎葉さん、どうぞこちらに」

「でも……」

「ご兄弟三人とあなたの同席がなければ満久氏のご意向により遺言書の公開はできません」

そこまで言われては仕方ない。歩夢はぽつんとあいた席に浅く腰を下ろした。

立花がにらんでくるが、好きでこの場に残るわけではない。

「ではわたくしも同席させていただいてよろしいですか。大旦那様のお気持ちを最後まで見届けるのもわたくしの役目の一つでございますから」

弁護団に向かい、立花がきつい口調で言うのが聞こえてくる。長瀬はすぐにうなずいた。

「同席なさる分にはなんの問題もありません。どうぞご自由になさってください」

その言葉に立花はいらだたしげに踵を返すと、三兄弟の後ろに回った。豊久と立花に敵を見るようににらまれて居心地が悪い。歩夢はさりげなく二人から視線をはずした。

「――では、皆様おそろいですので、ただいまより、先日お亡くなりになられた竜徳寺満久様のご遺言および付帯の書類を公開いたします。僭越ながら遺言執行者の任にありますわたくし長瀬が、一式読み上げさせていただきます。ご異議、ご質問などはすべての書類の公開が終わりましたのちに、挙手にてお願いいたします」

皆が固唾を呑む中、封緘のされた封筒を長瀬が開き、紙の束を取り出した。

「まずは普通株式の遺贈について」

（いぞう？）

相続ではないのかと歩夢は疑問だったが、誰それになにを相続させるという意思表示がある場合は「遺贈」という言葉が使われるらしいと、その後の長瀬の発言から見当がついた。

満久氏が所有していた関連会社の普通株については、どの会社の株は三兄弟の誰にどれだけと細かく指定がされた。豊久と秀久の表情を見ると、どうもそれは均等なものではなく、長男の豊久に多く、三男の秀久に少ないようだった。だが、その配分は妥当なものだったらしく、居並ぶ者たちの表情は「まあそうだろうな」とでも言いたげなものが多かった。

「そして次に種類株式についてですが」

周りが一気にざわつきだしたのはそこからだった。

「各社の議決権制限種類株式、拒否権付種類株式、役員選解任付種類株式の三種の株式については次男政宗への遺贈、その他の種類株式については長男豊久への遺贈とする」

「はあ?!」

豊久が立ち上がった。

「なんだ、それは！　実質政宗が会社を仕切るってことじゃないか！」

「お静かに。ご意見、ご質問はすべての書類の公開が終了したのちにお願いいたします」

長瀬は豊久を冷静にたしなめると、「続いて」と声を張った。

歩夢は相変わらず、なぜ自分がここに座らされているのかわからないままに、長瀬の声を聞いていた。株が売り買いされるものだという程度の知識はあったが、そんなに種類があるとは知らなかった。議決権だの拒否権付きだの選解任付きだの、言葉だけでもなんだかとても強そうな感じがするが、豊久が怒ったところを見ると、本当に会社経営には大事な株らしい。それがみんな政宗に相続されるというのか。

（やっぱり大旦那様は政宗様の経営の才能をわかっていらっしゃったんだ）

歩夢が誇らしく思う必要はないのだが、周囲の動揺には関係なく、無表情で長瀬の言葉を聞いている政宗はひときわ輝いて見える。

「……那須の別邸は豊久、京都の別邸は政宗、熊野の別邸は秀久へ遺贈、本宅……こちらの館は椎葉歩夢へ遺贈」

突然自分の名前が出てきて、「へ？」と間抜けな声が出た。

「お、俺？」

勤務時間中の一人称は「わたし」を守っていたにもかかわらず、ついふだんの呼称が出てしまう。

そんな歩夢の驚きにも、ざわつきが大きくなった会場にもかまわず、長瀬が続ける。

「……以上の銀行の預貯金は普通、当座、定期、定額にかかわらず、椎葉歩夢へ遺贈」

これには歩夢以上に周囲から驚きの声が上がった。

「現金全部か！」

「屋敷と現金だと？」

「どういうことだ」

五十人を超える人の目がいっせいに向けられる。立ち上がる者もいて、その圧に歩夢はたじろいだ。

「おまえ！　いつ親父に取り入ったんだ！」

豊久と秀久も立ち上がって、詰め寄ってくる。

「い、いえ、俺はなにも……」

「どういうことだ！　おかしいだろう！」

どういうことだとは、それこそ歩夢が知りたい。取り入ったと言われても、取り入るほど親しく口をきいたおぼえはない。この館に初めて来た時に挨拶したのが唯一の長い会話だ。

「お静かに！」

長瀬が声を張った。

「豊久様、秀久様、お席にお戻りくださいませ。まだ全文読み上げておりません」

うながされて、二人はしぶしぶ席に戻っていく。

「あ、あの……どういうことですか。俺、あ、わたしは、そんな財産をもらう理由がありません」

歩夢はしどろもどろで長瀬に尋ねた。

「満久氏はあなたに手紙を遺されています。あなたがなぜ遺贈を受けるのか、その理由が書いてあります。もしあなたにご異議がなければ、ここで遺言書の付帯書類として公開いたしますが」

「い、異議なんかありません！　公開してください！」

豊久と秀久だけではなく、なぜこいつが、と会場中の視線が刺さるようだ。

理由があるなら知りたい。知ってもらいたい。

「では」

と長瀬が別の封筒を開いた。分厚い便箋（びんせん）の束を取り出す。

「読み上げます」

満久氏が歩夢に語りかける言葉が長瀬の声で、会場に流れだす。

『椎葉くん。歩夢くん。わたしはどう君を呼べばいいのだろう。君にとってわたしは見も知らぬおじさんだろうが、わたしはもう長い間、君を息子のように思ってきた。ここは一つ、わたしの気持ちに添わせてもらって歩夢くんと呼ばせてもらおう。

歩夢くん。さぞ驚いていることだろうね』

（はい、めちゃくちゃ）

心の中で満久氏に返事をする。

『君はおかあさんから、君のおかあさんが結婚する前のロマンスについて聞いたことはないだろうか。わたしが君のおかあさん、美津さんに出会ったのは、わたしが二十七、美津さんが十九の時だった。保母の資格をとるために専門学校に通っている美津さんとわたしは本屋で出会ってね、わたしの一目惚れだったけれど、美津さんにとってもわたしは悪い印象ではなかったのではないかと思っているよ。わたしにとっては初恋だった』

（あれ？）

歩夢は母が三十九の時の子だ。母は生きていれば六十二歳。その母が十九といえば、今からざっくり四十年ほど前だ。政宗から「父が俺の母によく似た人を忘れられずにいるのだろうと感じたことは何度かある。それが君のおかあさんだったんだろう」と聞かされた時には、てっきり政宗の母が先に満久氏に出会っていたものと思っていたけれど……歩夢の母のほうが先だったとすれば……。

（大旦那様が本当に忘れられなかったのは、俺のかあさんだったってこと？）

政宗のほうを見る。目が合った。

表情は変えぬまま、政宗はわずかに顎を引いた。「そうだ」とうなずくように。

『二年、つきあった。わたしは美津に夢中だった』

長瀬弁護士の声が続く。歩夢は満久氏の手紙を読み上げる長瀬に目を戻した。

『結婚するなら彼女しかいない、そう思っていたが、わたしには結婚相手を選ぶ自由は与えられていなかった。本人の意思には関係なく、わたしには許嫁が定められていた。当時のわたしは父親が決めた結婚に逆らうだけの気概も勇気もなかった』

マリカから、亡くなった大奥様は政治家一族の娘だったと教えてもらった。家同士が決めた政略結婚に逆らえなかったということか。

『今から思えば本当に恥ずべきことだが、わたしは美津に愛人になってほしいと頼んだ。彼女と別れることなど考えられなかったからだ。だが……君にならわかるだろう。美津はうんとは言ってくれなかった。愛人なんて人を馬鹿にするのもいい加減にしろと平手打ちを食らったよ』

ふっと思わず口元がゆるんだ。

母らしい。

曲がったことが嫌いで、「人に後ろ指をさされるようなことをするんじゃない」が口癖だった。

『しかし、わたしはふられても美津をあきらめられなかった。だから彼女が誰かとつきあうたびに、わたしは邪魔をした。これは本当に申し訳なく思う』

「え？」

思わず声を上げてしまった。長瀬はちらりとこちらを見たが、またすぐ書面に視線を落とす。

『だが、ついに、彼女は君のおとうさんに出会ってしまった。画家志望で働いたり働かなかったりの君のおとうさんを邪魔する手立ては、わたしにはなかった』

（待て待て待て待て）

人の父親を馬鹿にしていないか？　いや、そもそも初恋だかなんだか知らないが、相手が誰ともつきあえないように邪魔をするっていう発想がどうなんだ。しかも「働いたり働かなかったり」の人を邪魔する手立てがなかったということは、母がつきあう相手を社会的に妨害していたということじゃないのか。

（ありえない）

『そして、君のおとうさんとおかあさんは結婚してしまった。だが、いくら一緒に暮らしていても偽装結婚ということもある。わたしは一縷（いちる）の望みをつないでいたが、結婚して九年目に君が生まれた。ショックだったが、母になった美津は美しかった。わたしは今度こそ、美津の幸せを応援しようと心に決めた』

（いくらなんでもそれは遅すぎじゃないですか？）

満久氏が生きていたら、胸倉を摑んで詰め寄りたい気分だった。しかも「母になった美津は美しかった」とはどういうことだ？　どこかから見ていたとでもいうのか。

歩夢は寒気をおぼえてぶるっと身を震わせた。

『わたしは君のおとうさんの絵を何度も販売価格の百倍で買い取ろうとした。しかし、君のおとうさんとおかあさんは頑固だった。本当に絵を愛してくれていない人には売れない。そう言って、わたしの援助は拒否された』

「っ……」

また声を上げそうになったのを、なんとかこらえた。

子供の時のことだ。深刻な顔で両親は絵を前に、何時間も話し込んでいた。「お金の問題じゃない」「俺は売りたくない」「わたしも売ってほしくない」……そんなやりとりを聞いて、子供心にも「売れるなら売れればいいのに。どうしてお金が入るのに、売らないんだろう」と不思議で、その時のことは記憶にはっきり残っている。

（そうか。そういうことだったのか）

十年以上昔の両親の言葉の意味が、ようやく腑に落ちる。

『君のおとうさんが亡くなったあとも、君のおかあさんはわたしの援助を受け入れてくれなかった』

当たり前だろう。あの一本気な母が、そんないきさつのある男の申し出を受け入れるはずがない。

『わたしはとても後悔した。わたしが邪魔さえしなければ、美津はもっと経済力のある男性と一緒になって、あんな苦労はしなくてすんだのにと。あるいは、わたしがあんな卑劣なことをしなければ、美津は一人になったあと、わたしを受け入れてくれたかもしれないのにと。すべてはいまさらだ』

歩夢は長瀬を見つめたまま、ぽかんと口を開いた。

いやいやいやいやいや、おかしいだろう！　邪魔さえしなければ？　もっと経済力のある男性と一緒？　あんな苦労？　ナチュラルに人の両親の人生をおとしめていることに、なぜ気づかない！

(かあさんは幸せだった‼)

そう叫びたいのをこらえて、歩夢は膝の上でぎゅっとこぶしを握った。父母は仲のよい夫婦だった。父の絵を母は愛していたし、自分が大黒柱であることを嘆いてもつらがってもいなかった。

『後悔先に立たずということわざの通りだった。美津はわたしの援助を拒み通して亡くなってしまったが、わたしは美津と美津の子供である君に、どうしても詫びたい。いや、詫びねばならない。そして、もう少しわたしに勇気があったら、わたしの子であっただろう君に、わたしの気持ちを受け取ってほしい。美津の血を引く君がこの館に住み、終生安楽に暮らせることが、わたしの最期の望みだと、どうか理解してほしい』

「俺の父親は椎葉守です！」

ついにこらえきれなくなって歩夢は立ち上がった。百歩ゆずって、自分が満久氏の初恋の人の子供だったことは認めよう。それすら今は認めたくないけれど。しかし、「もう少し勇気があったら、わたしの子だった」とはどういう言い草だ。父親がちがえば生まれていたのはちがう子ですよ？　文系の歩夢にもわかる生物学を説いてやりたくなる。俺の父親の立場を無視しないでください！

「お静かに。ご着席を」

なんとか満久氏の言い分に反論しようとする歩夢に、長瀬はあくまでも事務的だ。仕方なく、歩夢はまた腰を下ろす。

『以上の理由により、わたしの財産の一部を椎葉歩夢にゆずる。竜徳寺満久』

最後に長瀬が署名を読み上げて便箋を置いた。

ツッコミどころが多すぎると人は逆に言葉をなくすものらしい。会場のほとんどの人は口を半開きにして呆然としている。

「め、めちゃくちゃだ！」

しんとした会場で最初に叫んだのは秀久だった。

「そんなめちゃくちゃな話があるか！　なんで縁もゆかりもない人間に貯金と館をとられるんだ！」

歩夢は初めて秀久に心から同意した。贈られるのは自分だが、秀久の言う通りだ。そんなめちゃくちゃな話はない。

「そうだ！」

秀久に豊久が加勢する。

「そんな相続、おかしいだろう！」

立ち上がって異議を唱える豊久と秀久のあいだで、政宗だけは悠然と椅子にかけたままだった。腕組みをして、ふだんは無表情な顔になぜだか笑みを浮かべていた。だがその口元のしわは皮肉げで、遺言書の内容を歓迎しているのか否定したいのか、薄い笑みの意味はわからない。

「法律で血縁関係のない第三者への遺贈は認められています。また、満久様の相続人である豊久様、政宗様、秀久様への遺留分は株と館以外の不動産の評価額により確保されていますから、椎葉歩夢様への遺贈をとがめることはできません」

怒る二人に長瀬が淡々と説明する。

「遺留分?! なんで実の息子が三人もいるのに、赤の他人にそんなに持ってかれなきゃいけないんだ！」

豊久が叫ぶ後ろから、

「親子そろって、大旦那様をまどわせるとは!!」

そう歩夢に怒鳴りつけてきたのは立花だった。三兄弟の斜め後ろに立っていた立花は身体をぶるぶる震わせて歩夢をにらみつけてくる。

「お、俺はなにもしてません！」

そうだ、母が満久氏の初恋の相手だったということさえ、歩夢はこれまで知らなかったのだ。

「こんな遺言があるなんて……俺はなにも知りませんでした！」

ここははっきりさせておきたい。まるで歩夢がたくらんだように言われるのは心外だ。立花に叫んですぐ、歩夢は今度は長瀬へと顔を向けた。

「俺、いりません！ 受け取れません！ 預金全部とこのお屋敷なんて……！」

「預金総額は二千四百八十二億円、この館の評価額は土地と建物合わせて五億八千万円です」

「え、じゃあごっ……！」

五百万だけ。そう言いかけて、歩夢はあわてて口を押さえた。

歩夢には奨学金という名目の借金が三百万ある。悲願である両親の墓を建てるのに百万。五百万あれば借金が一括で返済できて、両親のお墓を建てることもできて、たくわえにも回せる。

ふだん「これだけあれば」と考えていた数字がつい口をついて出るところだった。そんなお金を一円でも受け取ったら、母に許してもらえないだろう。

「ご？」

長瀬が不思議そうに聞き返してくる。

「な、なんでもありません……あの、俺、本当に受け取れません。大旦那様のお気持ちはわかりますけど、俺が大旦那様の財産を分けていただくなんて、おかしいです。筋違いです」

豊久、秀久、立花、そして会場にいる者ほとんどがうんうんとうなずく。だが、そんな中でも弁護士の長瀬に動じた色はなかった。

「満久様は初恋の人である美津様の血を引くあなたが、この遺言書の内容に同意しないだろうとおっしゃっていました。しかし、わたしは遺言執行者として、満久様のご遺言の通りに遺産相続を遂行したい。今日、この場で結論を出す必要はありません。これからよく話し合いましょう」

豊久がたまりかねたように中央の長瀬の前まで出てきた。長机にバンと手をつく。

「本人がいらないと言ってるんだ！　だいたい預金全部と館を赤の他人に渡すなんて馬鹿な話があるか！　それに株式の相続だっておかしいだろう！　俺が次期当主なんだぞ！　裁判だってなんだってやってやる！　こんなおかしな遺言通りにできるわけがない！」

そう豊久がわめき、そして、そのわめき声に秀久が「そうだそうだ！」と叫んだところで、それまでなんとか沈黙を保っていたほかの人々もいっせいに思い思いにしゃべり始め……満久氏の遺言書公開は騒然とした混乱の中で終わったのだった。

「議決……なんとか株式、拒否……なんとか株式、せん……なんとか株式……遺留分……」

ふー。長い息をついて、歩夢はノートパソコンから顔を上げた。長時間、夢中で調べものをしていたせいで目がしぱしぱする。

ちゃぶ台の前から立ち上がった。数歩行けばすぐに台所だ。六畳の部屋に一畳ほどの板の間の台所。トイレと風呂が一体になったユニットバス、洗濯機は室内に置く場所がないから外廊下だ。

狭くて陽当たりが悪い木造のアパート。取り柄は家賃が安いこと。

母親の死後、それまでの安アパートでも家賃がきつくて、歩夢はさらに狭いこの部屋に引っ越してきた。住めばなんとかで、特別不満はなく住み続けてきたが、竜徳寺本家に勤務するようになって、帰宅するたび、しみじみ「狭いなあ」と感じるようになった。それこそトイレ並みだ。

（だからってあのお屋敷をもらうなんて、絶対できない）

自分の家は狭いけれど、あの館は逆に広すぎる。そう感じるのは貧乏人のひがみかもしれないけれど。そもそも初恋の人の子供だというだけで、四桁億円の遺産をもらうわけにはいかない。

（それにしても……大旦那様……）

自分への遺贈もそうだが、豊久が顔色を変えた株式の遺贈がまた問題だった。

歩夢は遺言書発表で空気がおかしくなったあともいつも通りに夕方まで勤めた。自分はなにも悪くない。どう考えてもおかしいのは満久氏だ。それなのに、早退したり、変に気を使ったりするのはいやで、あえていつも通りにふるまった。立花にはいつもよりさらにきつく当たられたし、ほかの従員もこそこそといやな感じだったが、マリカだけは「あんたも災難ねえ」と言っただけで、いつもと変わりなく接してくれた。

そうして定時まで勤めて帰宅して、いつもならすぐ夕飯の支度をするところを、今日はまずノートパソコンを開いた。わからなかったことを調べるためだ。

うろおぼえの語句を手がかりに調べていけばいくほど、豊久が怒った意味がわかってきた。

株式には普通株式と会社経営に意味のある権限を持つ種類株式の二種類があった。普通株式は文字通り、普通に売買されて、持っていると配当もある、歩夢がこれまで知っていた株のことだったが、種類株式はそんなものがあることさえ知らなかった、異次元の株だった。

満久氏は次男の政宗に関連会社の議決権制限種類株式、拒否権付種類株式、役員選解任付種類株式を相続させるという。そのそれぞれの株の力がとんでもなかった。

議決権制限種類株式は株主総会での議決権を制限でき、拒否権付種類株式は株主総会や種類株主総会での決議を拒否することができ、役員選解任付種類株式は株主総会で取締役や監査役など、会社の重職を選任したり解任したりすることができる。

豊久が「実質政宗が会社を仕切るってことじゃないか」と怒鳴っていたが、その通りだ。

(でも政宗様はそんな無茶な使い方はしないと思うけど)

政宗のビジネスの手腕と才能はワイアールの成功を見れば明らかだ。満久氏は豊久に当主の座を継がせ、会社の要職にもとどまらせて、次男である政宗にその手綱を握っていてほしいと思ったのではないだろうか。

なんにしろ、それだけの権限のある株をどの会社にも所属していない次男に持たせるのも、現金と本宅を赤の他人に継がせるというのも乱暴な話にちがいなかった。

（いくら三人に遺留分の相続があるっていっても……）

遺留分というのは、たとえ遺言書があっても、本来の相続人が法的に定められた相続分の二分の一は相続できるというものだ。満久氏はその遺留分も考慮して歩夢への遺贈分を決めていて、法的にその遺言書をくつがえせる根拠はない。

（立花さんは不機嫌だしさあ）

親子で満久氏をたぶらかしたような言われ方は心外の一言につきる。母など満久氏に人生を狂わされた被害者ともいえるのに。

（まあ立花さんが怒るのもわかるけど）

竜徳寺家は立花にとっては特別な存在だ。その竜徳寺の財産を……と思えば頭に血ものぼるだろう。とはいえ、その怒りをぶつけられるのは理不尽だ。

「ふー」

家に帰ってからもう何度目か、歩夢は長い溜息をついた。

（どうすればいいんだろう）

もらうつもりはないと言い張ればいいんだろうか。どうすれば受け取りを拒否できるのか、その方法も歩夢にはわからない。ネットで「遺産　受け取り拒否」で検索して、「遺産分割協議書」に相続人全員の署名と捺印があればいいようだとわかったが、そもそもその「遺産分割協議書」が歩夢には謎のむずかしい文書だ。

なんでこんなめんどうなことに巻き込まれなければならないのか。亡くなった満久氏に恨み言を言いたくなる。

悩みながら次の日、歩夢が出勤すると、朝一番から政宗が来ていた。まだまだ満久氏が亡くなって整理しなければならないことがあるらしい。

「政宗様、すみません、ちょっとよろしいですか。きのうの大旦那様の遺言書のことですが……」

立花の目を盗んで、歩夢は書斎にコーヒーを持っていった。

満久氏の書棚のファイルを一つ一つチェックしていた政宗は「君か」と顔を上げる。

「きのうは災難だったな。大丈夫か」

いたわりの言葉がうれしい。

「はい！　大丈夫です！　すごくびっくりしましたけど……母と大旦那様のことも、遺産のことも」

政宗はふっと小さく息をついた。

「我が父ながら……困った人だ。死んだ人を悪く言ってはいけないというが……」

らしくない歯切れの悪さから、政宗の心中の複雑さが伝わってくるようだった。

「君に遺産をゆずるにしても、せめて現金の一部などにしておけば、波風は少なかったろうに。立花さんも本当に悪いのは父なのに、君に腹を立ててしまっている。働きにくくはないか」

昨日から立花は不機嫌なままで、正直仕事がやりにくくて仕方がなかった。だが、今の政宗の言葉ですべてが許せてしまう。

「わたしは本当に大丈夫です。あと……わたしはお館はもちろんですけど、お金も受け取るわけにはいきません」

政宗が小首をかしげるようにしてこちらを見る。

「……ご両親のお墓を建てたいと言ってなかったか」

「お墓は建てたいです。でもそれはわたしがきちんと働いてもらうお金じゃなきゃ、意味がないです。両親をちゃんと弔いたいのはわたし自身ですから」

きっぱりと言う。政宗の目がすっと細くなった。だがそれはいやな感じの目線ではなかった。なにかまぶしいものでも見るかのような……。

「……君はお金がほしくないのか」

低い声で問われる。

「お金は……そりゃ、ほしいですけど。でも、筋の通らないお金を受け取るのはちがいます」

「父の金があれば贅沢ができる」

その言葉には思わず笑ってしまった。

「人のお金で贅沢してもきっと楽しくないです。母がいつも言ってました。働いたからご飯が美味しい、自分のお金だから大事に使うし、ありがたいんだって」

「…………」

政宗は黙ってうなずくと、しばし目を閉じた。

「……いい、おかあさんだ。本当に」

母を褒められて、歩夢はうれしくなって「へへ」と照れ笑いを漏らした。

「だから大旦那様のお金を一円でも受け取ったら、母に叱られます。どうやったらことわれますか」

本題を切りだす。

「むずかしいな」

溜息まじりに首を振られる。

「遺言書の効力に問題はなく、その遺言通りに遺産分割が実行されるように、弁護団三名が遺言執行人に任命されている」

「でも、旦那様も秀久様も反対でいらっしゃいますよね？　それなら……」

「兄や弟の思惑など関係ない。それが遺言というものだ」

「で、でも、遺産分割協議書っていうのがあれば、遺産受け取りを拒否できるんじゃないんですか？」

「それはそうだが……ハンコ代というのを知っているか」

「ハンコ代？」

知らない言葉だ。

「その遺産分割協議書で、他の相続人の取り分や言い分を通す代わりに、もらう金銭のことだ。兄も弟もおまえが遺産分割協議書をと言いだせば、館と現金の遺贈を辞退する代わりになにがほしいと言いだすだろうな」

「俺、わたしはなにもいりません！」

あせってふだんの一人称が出てしまう。政宗が憐れむようにこちらを見る。

「問題はおまえの遺贈分だけじゃない。俺が遺贈される種類株式も、兄は許さないだろう。弁護士を頼んで、たとえ裁判になっても遺言書の効力について争うつもりだ」

「なんで……なんで、そんな……」

いらないと言っているもののために裁判を起こされるなんて……。溜息が漏れ、歩夢はがくりと肩を落とした。

そんな歩夢の様子がおかしかったのか、政宗の口元に薄い笑みが浮かんだ。

「兄は頑固だからな。おまえに一円もやりたくないし、俺には種類株式を渡したくない」

「じゃあ、じゃあ、どうすれば……どうすればいいんですか？　わたしは一円もほしくないです」

「兄を説得するか……それとも……」

政宗の笑みが深くなる。

「裁判官立ち合いの調停の場で本当に一円もいらないということを申し立てるしかないな。その前に父が頼んだ弁護団からの説得も耐え抜いてな」

「そんなあ……」

なんでそんなめんどうなことをしなければならないのか。亡くなった満久氏に恨み言を言いたい歩夢だった。


大型連休のあいだ、歩夢はカレンダー通りに休みをもらえる予定だったが、満久氏の遺言のおかげでそんな休みは吹っ飛んでしまった。満久氏死去にともなっての片付けもまだあるところに、あまりの遺言書の内容に、弁護士や税理士、メインバンクの重役などの訪問予定が相次いだせいだ。歩夢としてもそんな遺産は受け取るわけにはいかないと、きちんと拒否の意思を示す必要があった。

そのどさくさの中、秀久が「家賃がもったいないから」と館に転がり込んできた。豊久が許さなかったので本館で寝泊まりすることはないが、あいていた離れの一室を我が物顔で使うようになった。食事はどれほど豊久に怒られても食堂にやってくるし、洗濯物も勝手に洗濯機に放り込んでいく。揚げ句に「ここもやってよ」と離れの掃除もキヨミやマリカに要求し、「俺だって竜徳寺の人間なんだから、してもらってもいいだろう」と開き直る。

豊久ががつんと言えばいいのにと使用人の誰もが思っていたが、豊久としても相続問題で共闘した思いがあるのか、追い出すところまではいかず、なし崩しに秀久は館に住みついた。

そんな、満久氏死去にともなっての混乱がまだまったくおさまっていなかった五月三日、朝。

その日、さすがに疲れが溜まったという立花に頼まれて、歩夢は前夜から館に泊まり込んでいた。当直というやつだ。二日の夕方に突然「今夜は館に泊まってもらえないか」と頼まれた時には驚いたが、遺言書公開から以前にもまして当たりがきつくなった立花に頼ってもらえたようでうれしくて、歩夢は二つ返事で当直を引き受けた。着替えや泊まりに必要なものは執事のたしなみとして館に一式置いておくようにと言われていたので、急な当直にも困ることはない。「裏」と呼ばれる使用人のスペースには狭いながらもシャワー付きの仮眠室があり、そこに泊まった。

朝七時。いつもは立花が淹れたてのコーヒーを銀盆に載せて、豊久を起こしに行くが、その日は歩夢が代わりに行った。

「旦那様」

二階の奥にある豊久の部屋の扉をこんこんとノックする。

豊久の部屋の手前にあるのが咲姫の部屋で、子供部屋はトイレとバスルームを挟んで玲香の部屋とつながっている。——これもマリカが教えてくれたことだったが、豊久と玲香は咲姫が生まれる前から寝室が別だという。

だが、玲香の部屋は今は無人だ。昨夜、玲香は短大時代の女友達の家にお泊まりだと出かけていった。月に一度、学生時代の女友達との女子会だという。だが、

『浮気でしょ』

マリカはあっさりと断じた。

『ああいうタイプが女友達とすっぴんで騒ぐとかありえない。浮気してるんだと思う』

咲姫が言っていた「おじちゃん」のことが頭をよぎった。今、秀久は館の離れにいる。まさか本当に、玲香の相手は……。

まさかまさかと不安な歩夢をよそに、

『旦那様だってうすうす気づいてるんじゃないかな。今は相続問題で大変だけど、それが終わったら、奥様も落ち着いていられないかも』

とマリカの不穏な予言は続いた。

真偽のほどはわからないが、とにかく、外泊した玲香はまだ戻らず、歩夢は豊久を起こしたあと、咲姫を起こしに行く予定だった。

「旦那様」

一度目のノックに返事がなく、歩夢はもう一度、こんこんこんとノックする。

立花からは二度、そうして扉の外から声をかけて返事がなければ、扉を開けて、直接起こすようにと言われている。

「失礼いたします」

教えられている通り、扉を開いた。

まだカーテンが閉じられたままの部屋は薄暗い。ベッドはこんもりとして動く気配もない。

「旦那様、朝でございますよ」

部屋の奥へと進み、ベッド脇の小卓に盆を置いた。

そこで寝ているとばかり思っていた豊久が目を開いていることに気づいた。

「旦那様、おはようございます?」

うかがうように語尾が上がったのは、豊久が天井を凝視して動く気配がなかったせいだ。かっと目を見開いたまま微動だにしない姿に、背中にすーっと冷たいものが這った。

「……あ……あ、い、今、カーテンを開けますね……」

いやちがう、部屋が薄暗いせいだ。それでよく顔が見えていないせいだ。

頭ではそう理屈をこねるが、頭の毛が逆立ち、全身に鳥肌が立ってくる。つんのめりそうになりながら、歩夢は窓辺に駆け寄った。分厚いカーテンを思いきり左右に開く。

さっと部屋に光が射し込んだ。

「……旦那様……?」

部屋は一気に明るくなったのに、やはり豊久が動く気配はない。

ぶるりと身震いしてから、歩夢はそっと踵を返した。恐る恐る豊久の顔をのぞき込む。

豊久の目は大きく見開かれたままだ。その口元は歪み、なにか叫びだしそうに見えるけれど、そこから微動だにしない。そして……豊久の首元の絹の薄い羽毛布団が真っ赤になっていた。

「旦那、さま……」

もう答えが返ってこないのはわかっていて、「失礼いたします」と震える声をかけて上掛けをそっとめくった。

「っ」

叫ぼうとした。叫ぼうとしたけれど、どれほど大きく口を開いても、声は出てこない。

掛け布団は真っ赤に染まってずっくりと重くなり、豊久の首には大きな傷が開いて、その周囲に赤黒い血が大量にこびりついていた。生臭さと鉄さび臭さが混ざった匂いが鼻をつく。

「……っ……っ……っ」

あまりの衝撃に、歩夢は数歩、後ずさろうとしたが、毛足の長い絨毯（じゅうたん）に足を取られて転んでしまった。その拍子に、

「うう、うわあああああああ!!」

やっと声が出た。

「うわあああ!!　うわあああ!!」

歩夢はパニックになって叫び続けた。


竜徳寺豊久が殺された。

館には大勢の警察官が詰めかけ、動揺さめやらぬうちに、歩夢は第一発見者として警察署への同行を求められた。

最初に警官が到着した時、署へと着いた後、歩夢は何度も何度も、別々の警官や刑事に発見時とその後の説明を繰り返した。自分は竜徳商事から出向を命じられていて、いつもは八時から十七時の勤務だが、今日はたまたま上司にあたる立花に頼まれて当直を務めていたこと、立花の指導通り、朝七時にコーヒーを持って豊久の部屋に行き、二度のノックと声がけののち中に入ったこと、動かない豊久にまさかと思いながら布団をめくって傷と血を発見したこと。そして大声で叫んでいるところに、

『どうしたの？』

と最初にやってきたのは隣室の咲姫だったことも。

子供に父親が死んでいるところを見せてはいけないと、歩夢は四つん這いでドアまで行き、咲姫を連れて部屋の外に出てドアを閉めた。持っていた携帯電話で110番して通報し、その後、一階に下りて早番で出てきていたマリカ、コックの林に豊久が死んでいることを知らせた。それから離れに住んでいる立花と秀久に声をかけに行ったが、秀久は出てこず、とにかく立花にだけでもと一大事を知らせた。外泊していた玲香への連絡も考えたが、まずは確認してからと立花が言うので、立花、マリカ、林、歩夢の四人で豊久の部屋をもう一度見に行った。

『旦那様っ！』

立花は豊久のベッドに駆け寄ったが、血まみれの凄惨な現場にはっとしたように立ち止まり、そこで外からパトカーのサイレンが聞こえてきた――。

何度同じことを話したかわからない。

そして同じくらい何度も、歩夢は豊久の周囲にナイフなどの凶器がなかったかと質問された。

「最初に部屋に入った時にも、二度目に入った時にも、なにも見ていません」

何度聞かれてもそうとしか答えられないのに、「本当になにもなかった?」と同じ質問を繰り返された。

疑われているのかもしれないと感じたのは、署に着いて、「一応形式的なものだから」と狭い取調室に通されて二度も三度もちがう相手に同じ説明をさせられ、指紋をとられたあとだ。

「まだね、鑑識から解剖結果が上がってこないんで正確なところは言えないんだけど、血のかたまり具合とかご遺体の硬直具合からいって、まあだいたい夜中十二時から夜明け前までには殺されてたかなって感じなんだよね」

所轄署の刑事による事情聴取のあとに現れたのは警視庁の加賀(かが)という刑事だった。丸顔でにこにこした笑顔は人がよさそうに見えたが、丸い眼鏡の奥の目が笑っていないという、いかにも強面な所轄署の刑事より凄みを感じさせる男だった。とはいえ、見た目はまだ若い。三十を少し超えたぐらいだろうか。部屋の隅の小机では警察官が二人の話にペンを走らせる。

「その時間、椎葉さん、なにをしてらっしゃいました?」

笑顔は浮かべているが、死亡推定時刻の動向を確認してくる加賀の目は真剣だ。

「……えっと、ゆうべはお香典返しのリストを事務所のパソコンに打ち込んでて……終わったのは夜中の十二時少し過ぎだったと思います。それから仮眠室に行ってシャワーを浴びて、寝たのは十二時半ぐらいだったかな」

「なるほど。それから朝までぐっすり?」

「はい……枕が変わっても平気で寝れるタイプなので、ぐっすり」

「じゃあ夜中に変な物音とか聞いてない?」

「はい、なにも」

「うんうん、そうか。ところで君がその時間、本当に仮眠室にいたって証言できる人はいるかな？」

「証言……」

その言葉の重さに面くらった。犯行がおこなわれただろう時間帯に、仮眠室から出ていないと誰か証言できるのかと聞かれて、背に冷たいものが走る。

「……いえ……立花さんと秀久様は離れのご自分の家にいらっしゃいましたし、ほかに『裏』にいた人はいなかったので……」

顔がこわばったのか、加賀はまたにこっと笑った。

「そうか、うんうん。大丈夫だよ。たまたまその時、誰とも会ってなくてアリバイがないからって、それで犯人だって決めつけられたりはしないからね」

本当だろうか。

「あの……俺、いつ帰らせてもらえるんですか？」

朝から事情聴取を受けて、もう昼を回っている。朝ご飯は署内の売店で買うことができたが、昼はちゃんと温かいものを食べたい。せっかく天気もいいのだから、家に帰って溜まっている洗濯物も片付けたかった。……いや、館に戻るべきだろうか。大旦那様に続いて旦那様まで亡くなられた。葬式はどうするのだろう。またしばらく休日どころではなくなるのか……。改めて考えたら、とんでもない事態だ。いったん家に帰って用事だけすませたら、すぐ館に様子を見に行こう。

「うーん。そうだよね、帰りたいよね。でも悪いけど、もうちょっと待っててもらえるかな」

そう言っていた加賀が警官に呼ばれて出ていき、微妙に笑顔をくもらせて戻ってきたのは十分ほどしてからだった。

「あのね、凶器が出たよ」

「え？」

ぽんと投げかけられた一言に歩夢は目を丸くした。

「凶器って……」

「うん。豊久氏殺害の凶器。……だと思われる刃物だね。ちゃんと豊久氏のＤＮＡが検出されるか、傷の形状と刃物の形状が一致しなければ、まだ凶器と断定できないからね」

「……そうですか……。やっぱり刃物だったんですね……」

掛け布団も首元も血まみれだった。

首の真ん中にぽっこりと開いていた穴を思い出して、ぶるっと身体が震えた。

「……どんな刃物だったたか、見当つく？」

そう聞かれて歩夢は首をひねった。

「鋭利な刃物ってやつですよね……なんだろう、ナイフかな……あ、でも傷口大きそうだったから、けっこう大きなナイフかな。それとも包丁？　ハサミってことも……」

それぐらいしか思いつけない。

「うん。そうだね。そのあたりだろうね」

見つかった凶器と思われる刃物がいったいなんだったのか、加賀は教えてくれる気はなさそうだった。答えてもらえないだろうとは思いながら、

「あの、その凶器はどこから見つかったんですか？」

歩夢は尋ねてみた。凶器を見かけなかったかと何度も聞かれて、気になっていたからだ。あの部屋のどこかにあったのに、自分が気づいていなかっただけなのかどうか。

「うーん、それは教えられないんだけど。君ならどこに隠す？」

「……隠すって……やっぱりどこかに隠されてたんですね？」

逆に問い返すと、加賀は「しまったあ」と大げさに目を丸くした。

「しゃべっちゃった。君、なかなか鋭いね」

「そんなこと言われたの、初めてです」

「そうか、うんうん。でもごめんね、どこにあったのかは答えられない」

「捜査上の秘密ってやつですね……」

こんな世界は自分に無縁だと思っていたけれど。

「うんまあ、そういうこと。それでね、君はもう帰っていいってことになったんだけど」

「いいんですか！」

よかった！　ほっとして大きな声が出た。しかし加賀は残念そうだ。

「やっぱり帰りたい？」

「そりゃあ！　だって許可が出たんですよね？」

「まあ許可っていうか、もともと君は任意の事情聴取だから、君が帰りたいって言ったら止められないんだよ」

「それはそうですけど……まだ聞きたいことがあるって言われたら、帰っちゃいけないのかなって思いますよ」

「だから帰ってくれてもいいんだけど、もし君が自分からまだここにいたいって言うならいてくれても全然いいんだ」

歩夢は小首をかしげた。

「ここにいたくはないです。帰っていいなら帰ります」

加賀は溜息まじりに「だよねえ」とつぶやいて、

「じゃあ所在は常に明らかにしておいてくれる？　ここからどうする？　家に帰る？　それとも竜徳寺の屋敷に戻る？」

「……本当は俺、当直明けで休みなんです。でも……一度家に帰って洗濯だけすませたら、夕方までに屋敷に戻ろうかと思ってます。立花さん一人だと大変だと思うから」

「そうか。えっとね、じゃあこれ、ぼくの携帯番号。なにかあったらすぐにぼくに連絡もらえるかな。それと、今の予定以外の行動をとる時にも一報くれる？」

「はい。……えっと、もし途中で買い物とか行きたくなったら……？」

加賀のセルフレームの黒い縁がきらりと光を弾いた。

「その時にも連絡をください」

断固とした強い声だった。

「わかりました……」

なぜそこまで……とは思ったが、歩夢は仕方なくうなずいた。

外に出ると、五月の午後の光に包まれた。世間はまだ大型連休真っ最中だったと思い出す。

「……疲れたあ……」

今朝の死体発見がもう何日も前のことのような気がしたが、一人になると、豊久の死に顔と血まみれの首元がいやでも思い出された。思わず目を閉じ、「なむあみだぶつ」とつぶやいた。

（とりあえず一度、家に帰って……）

警察署の中は清潔だったが、どこか暗い、独特の湿気があったような気がする。熱いシャワーを浴びて心身ともにさっぱりしたかった。

バスで駅まで行く。

複数の路線が乗り入れている駅のホームは休日の午後だったが、そこそこ混み合っていた。

座りたいわけではなかったが、なるべく人の少ないところがよくて、歩夢はホームの端のほうへと移動した。客の姿はまばらだ。停車位置で立つ。

「間もなく二番ホーム、電車がまいります。白線の内側までお下がりください」

アナウンスが流れた。

人の気配を背後に感じたのはその時だ。

後ろに人が並んだ――と意識したか、しなかったか。

なにが起きたか、わからない。

一瞬、意識が途切れ、次に歩夢が見たのは、カーブを曲がってホームに滑り込んでくる電車だった。

景色が横向きに流れ、なにがなんだかわからなかった。

足下がない。身体が傾いている。線路に落ちる――そう理解できた次の瞬間だった。歩夢はがっと

頭蓋骨が砕けたかのような強い衝撃を頭部におぼえた。
そのあとのことはなにもわからない。歩夢の意識はそこでぶつりと途切れたのだった。

〈3〉

父親が亡くなったのは小学校の時だ。もういないのが当たり前になって長い。もちろん会えるなら会いたいけれども、そこにそれほどの切実さはない。

もう一度会えるなら会いたいのは母親だった。三年前、いつもと変わらぬ日々の中でふっと倒れて、そのまま彼岸に行ってしまった母。別れの挨拶も、これまでの感謝も、なにも伝えられなかった。

人が死ぬ時には家族や祖父母が迎えに来てくれるという。本当だろうか。自分が死ぬ時に、母が迎えに来てくれるだろうかと歩夢は考えることがあった。

母にもう一度会えるなら死ぬのも怖くないと思えたが、どこかマイペースだった母がちゃんと自分の死に際に間に合うように来てくれるかどうか、ちょっと心配だとは思っていた。

頭に強い衝撃を受けて、真っ暗になって、なにもわからなくなって……次に歩夢が意識を……そういう言い方をしていいなら、意識を取り戻したのは、やはり暗い闇の中だった。

すぐに自分がふわふわと浮いていて、足がどこにもついていないことに気づいた。

(ここ、どこだ？　俺……電車にはねられたのか？)

突き飛ばされて倒れながら見たのはホームに入ってくる電車だった。電車にはねられたら、さすがに生きてはいられないだろう。

(俺、死んだのかな)

心配が的中したらしく、母の姿はどこにも見えない。

（もしかしたらお墓を建ててないから、怒ってるのかな）
そう考えて、いやいや、そんなことで怒る母ではなかったと思い返す。きっとこちらに向かってい
る最中なのだ。
（だいたいこんなに早く俺が来るとは思ってなかっただろうし。それにしても……）
歩夢は改めて周りを見回した。真っ暗だ。
（ここ、天国じゃないよな。地獄落ち？　俺、そんなに悪いことしてたのかな）
闇に包まれて不安になってくる。もしかしたら母は天国に行っていて、だから来られないのかもし
れないと思いついて、さらに不安が増した。これから地獄の苦しみを延々と味わい続けなければなら
ないのだろうか。
（ってかさあ。俺まだ二十二だよ。人生これからってところで死んじゃうとか、なくない？）
恋らしい恋もしていない。
中学、高校、大学と、それぞれ二人ずつ、彼女がいた。告白されて嫌いじゃないからつきあったが、
どの子ともプラトニックな関係のまま「なんかちがう」とやはり向こうから別れを切りだされた。嫌
いじゃないからつきあったが、どの子のことも特別熱く想ったことはなくて、そんな熱のなさを相手
は感じ取ったのかもしれない。
（熱い恋とか……真剣に誰かを好きになるとか……してみたかったなあ）
こんなに早く死ぬとわかっていたら、もっと自分に正直になっておけばよかった。
好きになりかけた相手はこれまで何人かいた。
初めて意識したのは黒瀬隼人（くろせはやと）。野球部のピッチャーで、真っ黒に日焼けした顔に白い歯が爽やかだ

った。高校で好意をもったのは春日亮。黒瀬とは全然別のタイプで、生徒会長だった。勉強がよくできて、弁舌もさわやかな優等生だ。大学で好きになったのは……やはり男だった。好きになりかけるたび、いつも歩夢は全力で自分の気持ちを否定した。

同じ男同士で好きになるとかありえない。

これはあれだ。自分がなってみたい姿に憧れているんだと自分に言い聞かせた。気になるのはいつも大人びたタイプだったから、童顔の自分とは真逆の理想を求めているだけだと思い込もうとした。恋じゃない。俺は、ゲイじゃない。

オナニーする時にも、本当は細マッチョと呼ばれる、引き締まった筋肉がほどよくついているタイプの男の裸体を見てしたかった。でも、無理に男女のAVを見て処理した。視線は男ばかりを追ってしまうが、「男女ものがヌケる」と自分で思っていたかったからだ。

(こんなに早く死ななきゃいけなかったなら……)

男と交際しておけばよかった。恋のときめきも、好きな相手と抱き合う喜びも知らずに死んでいくなんて、悲しすぎる——。

ふと、浮かんだ顔があった。

フレームレスの眼鏡、理知的で冷たい印象の美貌、低い声、モデルのように均整のとれた肢体。

(政宗様)

胸がきゅんとした。身体の感覚はないのに、胸に相当する部分がきゅんとしたのだ。

もう政宗様にも会えない、もちろん、万が一にも恋人になることも……。そう思ったとたん、胸の「きゅん」がさらに強くなった。泣きたいような切なさが込み上げてくる。

今なら素直に、政宗に惹かれていたこと、魅力を感じていたことを認められる。自分がそうなりたい理想として憧れていただけだなんて嘘だ。なぜ、自分の本当の気持ちを否定し続けていたのか。

(あの手に、一度でいいからさわってみたかったな)

節の高い、大きな手。宮崎牛のステーキ弁当なんかいいから、握手してくださいって言えばよかった……。

闇の中に光が射してきたのはその時だ。

トンネルの出口のように小さな丸い穴ができて、そこから光が射し込んでいる。

もしかしたら天国だろうか。行ってみようか。そう意識しただけで、歩夢はその穴にすーっと引き寄せられていた。身体のない、いわゆる幽霊状態のせいだろうか。なんの抵抗もない。

と、穴の向こうにマンションらしき、どっしりした高層建築が見えてきた。

(外の世界?)

どうやら天国ではないようだとわかった次の瞬間、歩夢はぽんと穴から飛び出していた。さらにするするとその建物に近づいて、陽を弾く窓の一つへと吸い寄せられた。

(ぶつかる!)

ぎゅっと目を閉じたが、ぽやんとした軽い抵抗があった次の瞬間、歩夢は室内に入っていた。

(そうか、俺今、幽霊だから)

それにしてもなぜ、この部屋に吸い寄せられたのだろう?

歩夢が入ってきたのは広いベランダに面する大窓だった。中は広いリビングのようだ。ソファとテーブルがあり、テレビ台やステレオもある。黒と茶で統一された、スタイリッシュだがどこか寂しい印象のあるインテリアだった。カウンターキッチンもあるが、そこは銀色で統一されていて、やはり機能的だが冷たい感じがする。

（誰の部屋なんだろう。まさか政宗様の……）

政宗のことを考えたとたん、闇に光が射して、吸い出されるようにこちらに来ることができた。

（政宗様……）

まただった。政宗へと思いを馳せると同時に、またも歩夢はどこかへと引っ張られていた。

ざあざあとシャワーの音が聞こえてくる。

ドアを抜けると洗面所があり、あっと思う間もなく、次には浴室のドアをすり抜けていた。

男の背中が目に飛び込んできた。当然、裸だ。

「あわわわ、ご、ごめんなさいっ」

あやまってあわてて後ろを向いたが、男にはなんの反応もない。

（あれ？）

そこでようやく、歩夢は男に自分が見えていないのかもと気づいた。そうだ。壁もすり抜けられる幽霊なら、普通の人間には見えないのでは……。

恐る恐る振り向いた。

綺麗な背中だった。広い肩幅から引き締まった腰へと続く背中には贅肉がまるでない。男が腕を動かすたびに、背筋も動く。臀部(でんぶ)もきゅっと形よく、そこから長い脚が伸びていた。

（これは……）

身体はないが、歩夢はごくりと固唾を飲んだ。

鍛えられた、美しい男性の裸体。

これほど見事で、かつ、好ましい裸体を、これほど好きなだけ眺め回せる機会はこれまでなかった。

こんなに若くして死ななければならなかったんだから、少しぐらい、いい目を見させてもらってもいいんじゃないか。そんな勝手な理屈が頭をよぎる。

男がレバーに触れ、シャワーが止まった。

「ふー」

男は息をつき、半身を返した。横顔が見える。

やはり政宗、その人だった。

フックに掛けてあったタオルを取り、政宗は濡れた髪や身体を拭き始める。

「…………」

しゃべっても政宗には聞こえなかったかもしれないが、歩夢は口を押さえた。うっかり感嘆の声を上げてしまいそうだったからだ。

(政宗様……カッコいい……！)

館に現れる政宗はいつもぴしっとしたスーツ姿で、眼鏡をかけ、髪もしっかりとセットしている。いわゆる「一分のスキもない」恰好だ。

だが今、シャンプーを終えた政宗は額に乱れた髪を張り付かせ、当然だが眼鏡もしていない。

いつもよりずっとラフな政宗は新鮮で別の魅力がある。

(見ちゃ、いけない、けど……)

死んでいる身だ。冥土の土産という言葉を聞いた時に、あの世に持っていく土産ってなんだろうと

首をひねったが、これはまさにそれだろう。あの世に行かねばならないのなら、せめて好ましく思っていた男の裸体の記憶ぐらい、持っていきたい。

歩夢は気持ちに忠実になることにした。

すべてを脳に……脳はないかもしれないが心に刻みつけるつもりで舐めるように眺めていく。

整った顔、顎からしたたる雫、アダムのリンゴがくっきり浮き出た喉、鎖骨、背筋と同じようにしっかりと鍛えられて引き締まった胸筋と腹筋。そして……腰。

黒い茂みから政宗の性器が垂れていた。

今はやすらいでいる状態だが、それでもその体軀に応じて、政宗のものは平均よりも大きいような気がした。興奮に猛(たけ)り、そそり立ったらどうなるのだろう。

（ああ……）

政宗に欲望を抱かれ、その性器を受け入れるのはいったいどんな女性なのだろう。

ちりりと胸が焼ける。うらやましさと嫉妬のせいだ。

（仕方ない。俺はもう死んじゃってるんだから）

悲しくなってくる。どうしてもっと、自分の心に正直に、好きな人をきちんと好きになっておかなかったんだろう。

（こんな、もう見るしかできないなんて……）

政宗がバスルームのドアを開けて、髪を拭きながら洗面所へと出ていく。

（でも）

すぐに歩夢は思い直した。

（見ることはできるんだし。本当だったら来られない政宗様の部屋にまで来られたんだし）

そうだ。生きていても政宗の全裸を見る機会はきっとなかった。ならば今のほうがラッキーだ。

嘆いても状況が変わらないなら、少しでも明るいほう、ポジティブなほうを見て生きていきたい。

――いや、死んでるけれども。

もう少しだけ、政宗のそばにいてもいいだろうか。

歩夢は浴室のドアをすり抜けて政宗を追った。政宗は腰にバスタオルを巻いて、ドライヤーを手にしたところだった。

（はあ……綺麗な背中）

背後からうっとりと背筋が美しい背中を眺める。その時ふと、鏡の中の政宗と目が合った。

どういうわけだか、霊体のはずの自分が政宗の背後にふわふわ浮いているのが鏡に映っている。若干ぼやけた感じはするが、顔も身体もしっかりと見える。

「「え？」」

歩夢も驚いたが政宗も大きく目を開いた。

ばっとこちらを振り返り、なにかを探すように空中を見回す。

「ま、政宗様……」

呼びかけても、政宗の視線は歩夢を素通りして、視線は合わない。

またすぐに政宗は鏡へと向き直った。ふたたび目が合う。

「ホログラム？　いや、モニター？　どういう仕掛けだ」

鏡になにか仕込まれているると思ったのか、政宗は鏡をぺたぺたとさわった。

「政宗様！　ホログラムでもモニターでもないです！」

必死に話しかけると、どうやら声も届いたらしい。

「……椎葉？　本当に……？　どうしてこんなところに……」

信じられないというように政宗がつぶやく。

「あの、あの、どうしてなのかは俺もわからないんですけど……」

気づいたら真っ暗なところにいて、政宗のことを考えたら、吸い寄せられるようにここに来ていた。

しどろもどろでそのことを説明しようとしたのに、政宗は半裸のまま、はっとしたように洗面所を走り出ていく。

「政宗様？」

歩夢も政宗についてふよふよと洗面所を出た。

政宗はキッチンのカウンターで充電中だったスマートフォンをひったくるように掴むと、どこかへ電話をかけた。

「俺だ！　竜徳寺だ！　椎葉、椎葉歩夢は無事か⁉　ああ、いや、容態は……」

（容態？）

なんのことだろう？　歩夢が首をひねっているあいだに、「そうか、ありがとう」と政宗はなにか安心したように言って通話を切った。すぐに、

「椎葉！　いるのか！」

ときつい声で呼ばれる。

「はい、ここに」

歩夢は政宗の顔の前に回り込んだが、やはり政宗には見えないらしい。

「椎葉……」

政宗はもう一度歩夢の名を呼び、「くそ」と小さく毒づくと、洗面所へと戻った。

鏡に上半身裸の政宗と、その背後に浮かぶ、スーツ姿の歩夢が映る。どうやら死んだ時の服装のままのようだ。

「鏡にしか、映らないのか……」

もう一度こちらを振り返り、また鏡を見つめて、政宗は呆然とつぶやき、すぐにきっと眼差しをきつくした。鏡の中でにらまれる。

「椎葉！　こんなところでなにをしている！」

叱りつけるように質問され、歩夢は「えっと」とうろたえた。説明に困る。

「あの……あの……俺、真っ暗なところにいて……あ、ちがう」

そもそものところから始めなければ。

「俺、ホームから落ちて電車にはねられて、死んだんです。それで真っ暗なところに行ったんですけど、生きてるあいだに恋の一つもしておきたかったなって思って……それで……」

これを言っていいのかどうかと迷ったが、歩夢は思い切ることにした。どうせ死んでいるのだ。

「政宗様に一度でいいから握手してもらいたかったなって思ったんです。俺……生きてるあいだは、自分の気持ちに素直になれなかったけど、本当は政宗様のことが好きでした。そう気づいたら、どうしてだかわからないんですけど、暗いところからこっちに引っ張られて、この部屋に来ちゃって」

「情報が多いな」

政宗の眉間にしわが寄った。

「いろいろおまえに聞きたいことはあるが、まずはおまえの勘違いが問題だ」

「勘違い？」

政宗を好きだと思ったのは勘違いだと言われるのだろうかと歩夢は身構える。霊体だが。

「大事なことだ。おまえは死んでない」

「……へ？」

言われたことがすぐには理解できなかった。間抜けに問い返す。

「おまえは死んでない。生きている」

鏡越しに政宗がきつい眼差しをよこす。

「え、で、でも、だって、俺、幽霊……」

「生き霊と呼ばれる状態だろうな。魂が身体から抜けてしまったんだろう。おまえの身体は生きている。今、電話で確認した」

「で、でも、俺、電車にはねられて……」

「ホームの端にいたのがラッキーだった。電車はホームから転落したおまえの直前で止まったんだ。線路で頭を打って、たんこぶはあるらしいが、今のところそれ以外に異常はないという診断だ」

「俺……生きてるんですか……」

もう死んでいるとばかり思っていたのに。歩夢はしばし呆然と鏡の中の政宗を見つめ返した。

バスローブを着た政宗とリビングに戻った。

「兄の遺体が発見されて、おまえがホームから転落したのはきのうのことだ」

テレビをつけながら、政宗が教えてくれる。そんなに時間がたっていたとは知らなかった。

「……よし、ちょうどやってるな。きのうからニュースはこればかりだ」

朝の七時の報道番組だった。

『えーきのう、驚きの一報がありました。先週、当主の満久氏が亡くなったばかりの竜徳寺財閥ですが、その跡を継ぐはずの豊久氏が刺殺体で発見されたというものです。凶器の包丁はなんと、庭に埋められていたそうなんですが……あ、現地とつながっていますね、どうですか、そちらの状況は』

画面が切り替わり、竜徳寺本家の正門が映った。ぴったり閉ざされた門の前にマスコミが詰めかけている。

「凶器……包丁だったんですね。庭に埋められてたって……」

つぶやくと、政宗がこちらを振り向いた。だがやはり視線が合わない。

「なにか言ったか？　気配しかないが……。くそ、鏡がないと話もできないのか」

舌打ちして、政宗は洗面所へと戻っていった。立てるタイプの鏡を持って帰ってくる。

ソファに座り、自分の顔が映る位置に鏡を置く。

「おい、鏡に映るようにしろ」

「あ、はい」

政宗の肩から顔がのぞく位置へと回る。どうやら鏡に同時に映ると声も聞こえる仕組みらしい。

『その包丁から、竜徳寺家で働いていたある男性の指紋が検出されたと警察から発表がありましたが』

スタジオのキャスターがレポーターに質問を投げる。

「え」

歩夢は思わず身を乗り出した。立花や調理師の林、運転手の向井の顔が脳裏をよぎる。ところがそこでリポーターが、

『そうです。第一発見者でもあるその男性は警察に事情聴取を受けたあと、帰宅の途中に駅のホームから転落。現在意識不明で治療中ということなんですね』

と続けるものだからわけがわからなくなった。

「え、え、え?!」

「そうだ。おまえは今、容疑者だ」

政宗が簡潔にまとめてくれる。

「え、俺……お、俺じゃないです！」

あわてて首と手と両方ぶんぶん振った。

「だが凶器の包丁からおまえの指紋が出た。凶器が発見されたことを知ったおまえは犯行がばれるのを覚悟して自殺をはかったが、一命をとりとめて治療中……というのが警察の見方だそうだ」

「自殺じゃないです!!」

叫んだ。

「俺……俺、よくわかんないんですけど、一瞬意識が途切れて……ホームに落ちたんです！　自殺なんかじゃありません。それに絶対俺、旦那様を刺したりもしてません！」

「一瞬意識が途切れた？」

鏡の中で政宗が目を見開く。

「そうです。電車を待ってたら、後ろに人が来て……あ、来たなって思って、そのあと一瞬、意識が飛んだと思うんですけど、気がついたらホームから落ちかけてて……頭にがつんとすごい衝撃があって、てっきり俺、電車にはねられて、自分が死んだんだと思ったんです」

「俺もおまえが幽霊になったのかと思ってあせったが……」

政宗は額を押さえて、ほおっと溜息をついた。ふたたび顔を上げた時、その表情は厳しかった。

「とにかくいつまでもこんなところでふらふらしているんじゃない。本当に死んでなかったからいいようなものの、おまえの身体は意識不明のまま、ＩＣＵで治療中なんだ。もしものことがあったらどうする。さっさと身体に戻れ」

戻れと言われても、どうすればいいのか。

「生き霊がどうやったら身体に戻れるか、調べてやろう」

そう言ってスマートフォンをタップし始める政宗に、歩夢はあわてた。

「ちょ、ちょっと待ってください！　えっと……あの、俺、容疑者なんですよね？　そんな状態で意識が戻っても……」

「取り調べでやっていないと言えばいいだろう。身体と魂が別々でいいはずがない」

それは確かにそうだけれど。

「ア、アリバイがないんです！」

ここで見放されては困る。歩夢は必死になった。

「おとついの晩、俺、立花さんに頼まれて館に泊まり込んでて……旦那様が殺されたかもしれない時間に、俺一人でいて、アリバイがないんです！　それに庭に埋められてた包丁に俺の指紋なんて……全然おぼえがないのに……」

「日本の警察だって馬鹿じゃない。無実の人間を犯人にはしないだろう。俺だって力を貸せる」

「冤罪(えんざい)ってこともあるじゃないですか！　それに……それに……旦那様は俺に大旦那様の財産を相続させないように弁護士さんとかに相談してました！　だから俺には動機もあるし……」

　鏡の中で政宗が目をすがめる。

「だからといって、そんな状態で俺にくっついていても仕方ないだろう」

「それは……」

「おまえが元気になったら、握手ぐらいいくらでもしてやる。さっさと身体に戻れ」

　焼けつくように顔が熱くなったと思ったら、鏡の中の自分の顔が真っ赤になった。死んでいると思っていたから正直に告白できたが、生きているとなれば話は別だ。

「あ、あの……その……ま、政宗様のことが好きだというのは……あの、ちがって……」

「ちがうのか」

「いえ、ちがいませんけど、でも……」

「その話はおまえの意識が無事に戻ってからだ。とにかく今は身体に帰れ」

　政宗はもしかしたら、自分の状態を心配してくれているのかもしれないとは思った。しかし身体に戻ったところで疑いを晴らせる自信がない。

「あの……あの、もうのぞいたりしませんから、本当の犯人を捜すのを手伝ってもらえませんか」

　政宗が軽く目を見張った。

「……のぞいていたのか？」

しまった。言わなくていいことを言ってしまった。消えたい。いや、この状態で迂闊なことを望んだら、本当に消えてしまうかもしれない。

歩夢はぐっとこぶしを握った。

「……ごめんなさい。シャワーの途中から……もう自分は死んでるんだと思って、冥土の土産のつもりで見てました」

「正直だな」

あきれられただろうか。しかし、今歩夢が頼れるのは政宗しかいない。

「お願いです。誰かが俺を犯人にしようとしてるんです！　俺の指紋のついた包丁とか、俺、全然知らないのに……。本当の犯人を見つけ出さないと、次またなにをされるかわからない。力を貸してください！」

「捜査は警察の仕事だ」

必死に頼んだのに、冷たく言われる。やはりダメなのか……。

政宗が立ち上がった。キッチンへと入っていく。

「政宗様……」

鏡を見ていない政宗に話しかけても、政宗には聞こえない。

うなだれると、さっきまで政宗が見ていたスマホの画面が目に入った。

『邪気には天然塩』

見出しが目に入る。

（邪気……）

確かに肉体から離れて好きな人のところに来てしまった生き霊なんか邪（よこしま）なものだろうけれど。

悲しくなる。

政宗はキッチンに塩を取りに行ったのかもしれない。「鬼は外」とばかりに塩を投げつけられるのかもしれない……。

悲しい気分になると、ふわふわ浮いていた身体が……いや、身体ではないのだが、とにかく浮いていたものがすーっと下へと沈んだ。床近くにアメーバのように横たわる。

しかし。

「捜査は警察の仕事だ。だが、真犯人を見つけて疑いを晴らしたいおまえの気持ちもわかる。ホームからどうしておまえが落ちたのか、それも気になる。万一、おまえを狙う者がいるとすれば、へたに意識を取り戻したら逆に厄介かもしれん」

「え」

カウンター越しに届いた政宗の言葉に、歩夢は目を見張った。沈んでいたのに、またふわふわと人の背ほどの高さまで浮上する。

「朝飯を食ったら出るぞ。おまえは……腹は減るのか。なにか用意すればお供えになるのか」

「政宗様！」

うれしい、と感じた瞬間に、政宗の背後に移動していた。

「ありがとうございます！」

両肩に手をかけて顔をのぞき込むと、政宗がぶるっと身震いした。

シルバーの冷蔵庫の扉に、政宗と、その政宗の後ろにぼやーっと浮いている自分が映る。どう見てもオカルトだ。

「すみません！」

歩夢はあわてて手を離した。

政宗は手早くトーストとコーヒー、ヨーグルトを用意した。

「一応、おまえも気持ちだけ」

と歩夢にもヨーグルトを「お供え」してくれた。

スプーンを持つこともできなかったが、自分に用意してくれたという政宗の気持ちがうれしくて、ヨーグルトの匂いだけでおなかがいっぱいになるような気がした。

（ちゃんと朝ご飯食べる人なんだ）

歩夢も三食きちんと食べないと調子が出ないタイプだ。それだけでうれしくなる。

支度をするあいだ、おまえはここにいろとリビングで待つように言われる。それはそうだろう、誰だって着替えや身支度を親しくもない相手にじっと見られたくはない。

今の状態だと「見たい」と思っただけでドアをすり抜けられる。歩夢は着替えに行く政宗についていきたい気持ちにならないように、窓から外を眺めて、必死で気持ちをそらした。そのあいだに皿ぐらい洗っておきたかったが、ドアや窓をすり抜けられる身で物質を持つのは不可能だ。

（なんだかなあ……）

死んでいないというのはうれしいが、こんな魂だけの状態ではいろいろ不便だ。だが今、身体に戻っても容疑者として警察に連れていかれるか、新たに狙われるか……リスクばかりだ。

「今日はまず、捜査がどこまで進んでいるか、聞きに行く」

玄関に向かいながら政宗が言う。

寝室らしき部屋から出てきた政宗はプライベートモードからビジネスモードに切り替わっていた。いつも通り、ぴしっとスーツを着込み、髪は撫でつけ、一点のくもりもないフレームレスの眼鏡をかけて。

「はい」

鏡に映っていないと歩夢の返事は政宗に届かないが、それでも歩夢は政宗に向かってうなずいた。

「おまえは俺の肩に摑まっていろ。……そうだ」

歩夢が肩に摑まると、姿は見えなくてもなんとなく重さを感じるという。

「ほかの人間に見つかると厄介だ。そうそう霊感のあるやつはいないだろうが鏡には気をつけろ」

「わかりました」

マンションの地下駐車場に降り、深紅のアルファロメオに乗り込む。今日は助手席ではなく、バックミラー越しに話をするために、歩夢は運転席に座る政宗の後ろに陣取った。

「あの」

ずっと言わなければと思っていたことがあった。

「なんだ」

「旦那様……おにいさんのこと、ご愁傷様でした。おとうさんと続けてで……その……お悔やみ申し上げます。お力落としのないように……」

こんな短期間に家族を二人も亡くすのはショックだろう。しかも死因が他殺なんて、ショックじゃないはずがない。自分が本当は死んでいなくて生き霊だったとか、鏡越しになら政宗と会話できるとか、凶器から指紋が出たとか、あまりに驚きの連続でついつい言いそびれていたお悔やみだった。

だが政宗は鏡越しにじっと歩夢を見つめてくる。

「えっと……その、ずっと言わなきゃと思ってたんですけど、ばたばたしてて……その……」

「ああ、いや……殺人事件だからな。兄の悔やみは初めて言われた」

「そんな……」

立て続けに父と兄の二人を亡くし、しかも兄の死を悼まれることもなかったと聞いて胸が痛くなる。

「大丈夫だ。いきなり警察から連絡があって……遺体の確認はしたが、まだ、兄が死んだという実感がなくてな」

鏡の中の政宗の口元に歪んだ笑みが浮かぶ。

（ああ）

日常の中で、ある日突然家族を亡くすつらさは歩夢も知っている。しばらくは悲しさよりも現実感のなさのほうが強かった。本当のこととして受け止めるのに数日かかった。殺されたとなればなおさらだろう。

政宗の心情が理解できるだけになにも言えなくなる。政宗ももう無言でエンジンをかけた。車が動きだす。

しばらく走って、政宗が「着いたぞ」と車を停めたのは歩夢にも見覚えのある場所だった。一昨日、事情聴取を受けた警察署だ。

「一応俺も事情聴取されるらしい。ここからはおまえがいないフリをするが、俺から離れるな」

「はい」

車を降りて、受付で政宗が名前を告げるとすぐに、ミーティングルームのような部屋に通された。歩夢が話を聞かれた取調室ほど殺風景な部屋ではなく、記録を取るための小机もない。

待つほどもなく、すぐにドアがノックされた。

「やあ、どうもどうも。おいそがしいところ、ご足労ありがとうございます」

明るく言って入ってきたのは加賀だった。丸顔に丸眼鏡なのが、先日よりもさらに丸い印象だ。

「どうも。竜徳寺政宗です。このたびは兄のことでお世話になります」

「警視庁捜査一課の加賀です。いろいろお話を聞かせていただけると助かります」

と、加賀が警察手帳を見せたところで、小さくぷっと吹き出した。

政宗もにやりと笑っている。

「さっきは驚いたぞ。いきなり椎葉歩夢は無事かなんて電話がくるから」

「ああ、すまなかった。ちょっと夢見が悪くてな、急に気になって」

(え？　え？)

二人は話しながら、テーブルを挟んで座る。歩夢は真ん中に陣取って二人の顔を見比べた。

(朝の電話の相手は加賀さんだったんだ。知り合い？　いや、友達？)

「素直そうな子だもんなあ。顔も可愛いし」

加賀がにやにや笑って政宗の顔をのぞき込む。なにか意味ありげな言い方に、

「ああ。慣れない執事の仕事にも熱心に取り組んでくれていた。館で働いてくれている者の一人として、早く意識が戻ってくれるようにと願っている」

政宗はいたって真面目な顔でうなずいて返した。

（やっぱり政宗様にとって俺は館の使用人の一人なんだ……）

床の上にアメーバ状に広がるほどではなかったが、歩夢はするすると二人の腰の位置あたりまで沈んでしまう。だが加賀はそこで引っ込まなかった。

「食えないねえ、おまえは。椎葉は大丈夫かってあんなにあわててたくせにさあ。あれだろ？　親父さんの遺産をゆずられるってのに一円もいらないっておまえに頼んできた子だろ？　近寄ってくるのは金目当てのヤツばかりだっておまえ、ずっと恋愛ご無沙汰だったけど、そろそろいいんじゃないのか。あの子、おまえのタイプ……」

「ぶおっほん！」

加賀の言葉を政宗は盛大な咳払いでさえぎった。

「その話は、いい」

冷たく言い放つ。

「えーつまんねえな。大学時代からの親友であるぼくにまで隠さなくてもいいだろ。まあいいか。とにかく椎葉くんの容態に変化があったら、すぐにぼくに連絡がくるようになってる。そしたらおまえにも知らせるよ」

「ありがとう。そこはよろしく頼む」

「じゃあ、まあ一応、もう一度、おまえにも話を聞かせてもらうが」

一応、と言いながら、加賀の顔がすっと引き締まる。

「五月二日、二日前の夜、おまえは〇〇町の自宅マンションに夜十時に帰宅、以降、翌朝七時半まで外出なし、だな？」

そうだ、と政宗がうなずく。

「マンションのエントランスロビーの防犯カメラを調べさせてもらって裏は取れた。だが、なにか思い出したり、言っていないことがあったりすればすぐに教えてほしい」

「わかった。兄は父の遺言で俺に相続されるはずの株券について、裁判を起こすつもりだったらしい。そういう意味で俺には動機があるからな」

「そうはいっても、これ以上おまえが重要参考人として呼び出されることはないと思うがな」

加賀の言葉に、今度は政宗の表情が厳しくなった。

「警察はやはり椎葉が犯人だと思ってるのか」

「うちの課長なんかはもう、捜査終了でいいだろって言いだしてるよ」

「それはまた乱暴だな。率直に聞くが、おまえは誰がやったと思ってるんだ？　やはり椎葉か」

「わざとらしすぎるんだよな、椎葉くんだと」

うーんと椅子に深く背を預けて、加賀は唸る。

「犯行推定時刻は司法解剖の結果、夜中三時から四時の間。豊久氏からは睡眠薬が検出されたが、医師から処方されて常用しているものだそうだ。その間、椎葉くんは一人で館の使用人用仮眠室で寝ていた。証言してくれる人はいない。第一発見者として事情聴取されたあと、帰宅途中、駅のホームから の転落で意識不明。自殺が疑われている。ここからはオフレコで願いたいが、前後して見つかった庭に埋められた凶器の包丁は館でふだん使われていたものだ。椎葉くんと調理師の林さんの指紋が検出された。ただし、血まみれの包丁が入っていたナイロン袋からは椎葉くんの指紋しか出ていない」

「林さんにはアリバイがあるのか」

「自宅で寝ていたそうだ。奥さんの証言もある。家族の証言は疑ったほうがいいが……夜中に出歩いた形跡は今のところ見つかっていない」

そうか、と政宗はなにごとか考え込む。

「政宗様！　凶器、凶器の包丁がどんなのか、見せてもらえませんか！」

見えない、聞こえないのは承知で、歩夢は政宗の顔をのぞき込んだ。その願いが政宗に以心伝心で伝わったのかどうか、政宗は顔を上げた。

「館で使われていた包丁……どんな包丁か、写真を見せてもらえないか」

政宗の依頼に、加賀は無言でスマートフォンを開いた。ナイロン袋に入ったままの血まみれの包丁と、ナイロン袋から出された状態の包丁と空の袋の三枚の写真を見せてもらう。

「この包丁……」

調理師の林が使う包丁はどれもプロ仕様で、素人には持つのも怖いような鋼のものだ。

だが林が休みの日にはキヨミが料理をすることもあり、使用人たちがお下がりのケーキや果物を切ったりする時に使う、ごく普通の三徳包丁（さんとくぼうちょう）や果物ナイフなども厨房には置いてある。

凶器に使われた包丁は歩夢も使ったことのある三徳包丁だった。しかも……。

「これ、政宗様……」

また思わず話しかけたが、歩夢の声は政宗に届かない。

「おかしいだろう。厨房にはもっとごつい……人を刺すのに向いている包丁があったはずだ。わざわざこんな、普通の包丁を使わなくても……」

「それは俺も思ってる。だからわざとらしいと思うんだよ。その包丁が凶器なのも、椎葉くんの指紋がついてるのも」

ただ、と加賀は眉間にしわを寄せた。

「刃物は刃物だ。使いやすい形状のものを選んだという解釈もできる。それに凶器が発見されてすぐに椎葉くんがホームから転落したのがまたやばい」

「報道でも、凶器を発見されたと知った椎葉が逃げられないと自殺をはかったのではないかと言われているな」

「それもできすぎてる気がするんだよな」

加賀は「ふー」と溜息をついた。

「椎葉くんは電車が入ってくるホームの反対側の端から転落した。自殺をはかるのに一番速度が落ちてるところをわざわざ選ぶか？　それに椎葉くんがおまえの言うように遺産の受け取りに消極的だったなら動機も消える」

「俺も椎葉が犯人だとは思えん。とにかく徹底的に丁寧に調べてくれ」

「そのつもりだ」

加賀も真顔でうなずく。

「そういえば……」

政宗の眼鏡が光る。

「竜徳寺の家はホームセキュリティを入れていた。ほかにも事務室や玄関、二階廊下には防犯カメラも設置されていたはずだ。そのチェックはすんでいるのか」

「それがなあ」

返ってきたのは溜息だった。

「住み込みで働いている立花さん。ふだんはセキュリティ切ってたって言うんだよ。防犯カメラも。裏は出入りが煩雑で、おぼっちゃま方も遅い時間にいらっしゃることがあるのに、そんな時にいちいちセキュリティ会社から確認の連絡が来るのもうっとうしい、門と塀には赤外線センサーが付けてあって、そちらは常時稼働しているんだからそれで十分だと考えていました、館内での防犯カメラの使用はご家族や使用人を疑うようで、わたくしは設置の時から反対でしたから……ときた」

そうそう、そうなんですよと歩夢はうなずく。ではなんのための防犯カメラとセキュリティなんだと聞きたかった。

門と塀以外にも、館の窓とドアにはすべてセンサーが取りつけられて、割られたり、鍵が壊されたりすればすぐに警備会社に連絡がいくようになっている。しかし、肝心のカメラが切られていては意味がないのではないかと思っていた。

「そうか。立花さんには再三、きちんといつもオンにしておくようにと言ってあったんだが」

政宗が眉をひそめる。

「じゃあ防犯カメラが切られていることを知っている者が怪しいだろうと聞いてみたら、今のおまえとおんなじだ。全員が立花さんのセキュリティ嫌いを知ってたよ」

「全員が被疑者か」

「ダントツで椎葉くんが怪しいとされてるがな」

「………」

なにか考えるように政宗が机に肘(ひじ)をついて顎を押さえた。

「……事情聴取されていた椎葉が帰宅を許されたのはどうしてだ？」

「第一発見者というだけだからな。朝から来てもらって、昼には帰ってもらったよ。あくまでも任意の事情聴取ではそれが限界だ」

「え、でも、加賀さん、凶器が発見されたって言ってましたよね？」

歩夢はそう尋ねずにいられなかった。帰宅していいと言いながら、加賀は歩夢に帰ってほしくなさそうだった。

「ここだけの話だが」

だがそこで加賀は声を潜めてテーブルに身を乗り出してきた。

「椎葉くんが署にいるあいだに、凶器が庭から発見されたんだ。だからぼくは椎葉くんをもう少し引き止めたかったんだが、課長が所在を明らかにすればそれでいい、いったん帰ってもらえってさ」

「ふむ……どこの世界も無能な上司のいらん指示に混乱させられるわけだ」

「そうとも言える」

政宗の目が眼鏡の下で、すっと細くなった。

「本当に無能かどうか……」

「ああ。全方向に疑っていく」

外見はナイフのような切れ味を思わせる政宗と、ゆるキャラっぽく温和なイメージの加賀だったが、そうして低い声でやりとりしている二人には不思議と似通った空気が漂っていた。

（大学時代からの親友かあ）

もちろん、疑われているのが歩夢本人だからこそ、政宗はこの場についてくることを許してくれたのだろうけれど、少しだけ政宗のテリトリーに入れてもらえたような気持ちで、歩夢はうれしかった。


政宗は加賀に、歩夢が転落したホームのカメラももう一度チェックしてくれるように頼んでから、車に戻った。

「話は全部聞いていたか」

車を発進させながら、政宗がバックミラー越しに目線を合わせて尋ねてくる。

恋愛だとかタイプだとか、加賀の発言も正直気になっていたが、政宗はすぐ「その話はいい」とさえぎって、相手にしなかった。それはつまり、歩夢に気がないと、そういうことなのだろう。

（もともと期待なんかしてないから）

好きだという自分の気持ちに応えてもらえるなどとは毛ほども思っていない歩夢だ。せめて握手だけできれば恩の字なのだから。

歩夢は気持ちを切り替えて、来る時と同じように政宗の背後に浮き、鏡を見つめた。

「はい、ずっとあの場にいました。政宗様、加賀さんとお友達だったんですね」

「ナイショだぞ」

ナイショ。その響きがうれしくて、歩夢は大きくうなずいた。

「俺、俺、誰にも言いません！」

ふっと政宗の目元がなごんだが、一瞬ののち、その顔はまた引き締まっていた。

「凶器に使われた包丁の写真も見たか」

「それなんですけど」

さっきからずっと政宗に伝えたかったことがある。歩夢はぐっと身を乗りだした。

「あの包丁、あの晩、俺、使ってたんです」

「なに？」

ちょうど駐車場から道路に出るところで、一時停止した政宗が鋭く鏡越しに視線をよこす。

「九時ごろ、咲姫様がリンゴを食べたい、リンゴを食べなきゃ寝ないとダダをこねられて」

「そんなわがままを許したのか」

わがままと言われればそうだ。でも……。

「……咲姫様は大旦那様のことをおじいちゃんおじいちゃんと慕ってました。そのおじいちゃんが亡くなって……まだ五歳ですけど、お葬式がどういうものか、なんとなくわかってるみたいでした。そんな時におかあさんが帰ってこない、お外で泊まるって……寂しいだろうなって……」

「なるほど。それであの包丁でリンゴを剝いてやったのか」

「はい。ウサギにしてほしいと言われたので、ウサギにしました」

父が亡くなってからは、仕事をしていた母を手伝って歩夢が台所に立つことも多かった。おかげでリンゴをウサギにするぐらいは朝飯前だ。

「で、咲姫様はそのまま厨房でリンゴを食べられて……包丁を洗おうとしているところで、秀久様がトイレの電球が切れたので変えてくれと厨房にいらっしゃって……」

　咲姫のことは秀久も可愛がっている。食べ終わったら咲姫を部屋まで連れていってくれるというので、歩夢はあとを頼んで電球を替えに行くことにした。

　その時、包丁はリンゴの皿と一緒にあとで洗えばいいかと、歩夢は流しにまな板と包丁を置いた。

　納戸になっている部屋から電球をとってきてから、秀久の離れに行き、電球を替えた。

「それで厨房に戻ってきたら、もう電気が消えてて……明かりをつけたら、もう皿もまな板もきちんと片付けられてました。だから立花さんが片付けてくれたのかなと思ったんです。立花さんの家から厨房の明かりがついているのが見えるから、俺がつけっぱなしにしたと思って見に来たのかなって」

「包丁は？　その時あったのか」

「お皿は流しの横の水切りカゴに立ててあって、まな板もいつもの場所に立てられてました。包丁は流しの下に収納されてるので……きっともうしまわれてるんだろうと思って、確認しませんでした」

「凶器の包丁が入れられていたナイロン袋に心当たりはあるか」

　はい、と歩夢はうなずいた。

「リンゴを剝く時、もう生ゴミは捨てられていたので……ナイロン袋を出して、その中にリンゴの皮や芯を入れてまとめてました。それもなくなってましたけど……立花さんがゴミ箱に入れてくれたんだなって……」

「なるほど……」

　車を走らせながら、政宗がなにか考え込むように眉をひそめる。

「片付けたように見せかけて、犯人はおまえの指紋がついたままの包丁と袋を持ち去ったわけか。立花さんか、秀久か、それとも別の誰かか……」

その言葉に歩夢はぞっと鳥肌が立つような気がした。身体はなくても、感情に応じた身体反応が感じられる。

「そ、それは……立花さんか秀久様が俺に罪をなすりつけようとしたってことですよね……？　もし二人じゃなかったら……あの時、館には俺と立花さん、秀久様、旦那様と咲姫様……五人しかいないと思ってたけれど、別の誰かがあの時、厨房の近くに潜んでたってことですか……」

二日の夕方、いきなり「朝がつらいので、今晩、館に泊まり込んで朝の仕事を変わってほしい」と立花に頼まれた。その時から立花は自分に罪をなすりつけるつもりだったのだろうか。それとも秀久か。歩夢にわざと用事を言いつけて、そのあいだに指紋付きの凶器を手に入れたのか。

二人に悪意があったのかもしれないと考えるのは怖い。しかしあの夜、誰かが館の中で息を潜めてこちらの動向をうかがって、スキをついて包丁を盗み、さも綺麗に片付けたかのように偽装したのだとしたら、それも怖い。

ふるふるっと身体が震えた。いったい真相は……。

「もうすぐ館につく。立花さんと秀久にもあの晩の話を聞くつもりだ」

政宗は怖くないのか、その声は落ち着いている。

「はい……」

うなずいてから、歩夢ははっと気がついた。

「あ、でででも！」

盛大に噛んだ。しかも話したい気持ちが強すぎたのか、歩夢はにゅーっと政宗の顔の横に伸びてしまっていた。政宗が寒気を感じたかのように、ぶるっと身震いする。

「あ、す、すみません！」

霊体だと気持ちの通りにすーっと移動できてしまう。気をつけなければ。

「あの、でも、もし二人のどちらかが犯人だったら……疑われてると知ったら政宗様にも危害を……」

犯行がばれそうだとなったら、気がついた政宗を口封じに……と考えてもおかしくない。

「そんな馬鹿な聞き方はしない」

政宗はむっとしたようだった。

「だいたいリンゴのことを俺が知っているのがおかしいだろう。意識不明のおまえしか知らないことを、どう説明するんだ」

「あ、で、ですよね……」

意識のない身体から抜け出して幽霊状態となり、鏡を通してなら会話もできる、なんて。言えるわけがないし、言ったところで誰にも信じてもらえないだろう。

「着いたぞ。一応引っ込んでいろ」

低い声で注意され、歩夢はあわてて後部座席深くへと身を沈めた。

「政宗様、お疲れ様でございます！」

守衛が飛んできて、窓越しに頭を下げてくる。政宗が窓を下げた。

「誰か来ていますか」

「警察が朝から……それ以外にはどなたもいらっしゃってません」

「きのうのうちに親戚筋にも会社筋にも、警察の現場検証と捜査が落ち着くまでは来ないようにと連絡しました。もし誰かが来ても入れる必要はありません。用なら俺に連絡するように言ってください」

「は……」

うなずいたが、守衛はまだなにか話したそうだ。

「政宗様……これから竜徳寺家はどうなりますか。政宗様がいらっしゃれば大丈夫ですよね?」

歩夢ははっと胸を突かれる思いだった。

身におぼえなどないのに、凶器から自分の指紋が検出されて、自分の身体は意識不明で……。どうやったら自分にかかった疑いを晴らせるのか、いったい誰が犯人なのか——そんなことばかり気になっていた。しかし、満久氏、豊久とあいついで亡くなって、新しい当主は政宗なのか、咲姫なのか、竜徳寺系列の会社はどうなるのか。この館に勤めている人たちはもちろん、どれだけの人が自分たちのこれからを案じていることだろう。

そして政宗はそんな不安を一人で引き受ける立場にいる……。

「系列の会社にはそれぞれに重役たちがいます。竜徳寺の人間が必ずしもトップに立たねばならないということはないでしょう。だからといって、会社を手放すとか竜徳寺家がなくなるという話ではありません。心配しないでください」

具体的なことを答えたわけではないのに、政宗が落ち着いた口調でそう言うと、守衛は安心したようだった。顔に笑みが浮かぶ。

「政宗様がいらしてくださって本当によかった」

門が開き、政宗は車を中へと進めた。紅葉林を抜けると、正面の館の前に何台もパトカーが停まっているのが見えた。

「おまえに言っておくことがある」

本館手前の車庫の前でいったん車を停めて、政宗はちらりと鏡越しに視線をよこした。

「父の書斎に盗聴器が仕掛けられていた。誰がどういう目的で仕掛けたのかも、ほかの部屋はどうだかもわからんが、用心にこしたことはない。おまえがなにを言っても返事はしないからな」

「盗聴器が！」

それこそドラマや映画でしか見たことがないものだ。実際にそんなものを仕掛ける人間がいるのだということも、自分の言動が知らないあいだにチェックされていたのかもしれないということも気持ちが悪い。

いったい誰が……。立花か秀久か、それともほかの人間か。いやが上にも、緊張が高まってくる。

政宗が車庫の中に車を入れたところで、館の中から立花が走り出てきた。

「政宗様！　お待ち申し上げておりました！」

「遅くなってすみません。警察で事情聴取を受けてきました。捜査はどうなっていますか」

「それが、もう館中の指紋を取る勢いで……。大旦那様の書斎まででございますよ！　関係ないじゃないかと抗議してもどこ吹く風で。凶器から指紋が出たんですからもういいでしょうに」

「そんな……俺は旦那様を殺したりしてません！」

立花の「犯人はもう決まってますから」と言わんばかりの言い方に、思わず歩夢は後部座席から身を乗り出した。政宗がちらりとバックミラーをのぞいてくるが、立花にはやはり歩夢の声は聞こえないらしい。こちらを見もしない。

「さっき警察で、凶器からは調理師の林さんの指紋も出たと聞きましたが」

政宗がそう言っても、立花は平然としていた。

「林が旦那様を刺したりするはずがありません。理由がないでしょう。自宅で寝ていたと奥さんが証言されていますし」

歩夢には動機があったと言いたいらしい。

「なるほど。しかし警察がそんな大捜査を続けているなら、椎葉くんの犯行ではない可能性があるのかもしれません」

「凶器から指紋が出たんですよ！」

立花が政宗の言葉に異を唱えるのは珍しい。ムキになっているようにも、歩夢には見える。

「指紋をべたべた残したまま庭先に凶器を埋める……そこまで椎葉くんが迂闊な人間には見えませんが」

「欲に目がくらんだ人間は馬鹿になります」

立花はゆずらない。

「警察が椎葉くんを犯人と断定するまで、決めつけはよくありません。捜査には最大限、協力してください」

ぴしっと政宗が言うと、立花は「はあ」といかにも不承不承にうなずいた。

好かれていないのはわかっていたが、しかし、人を殺すような人間だと思われていたのかと、歩夢は怒りと情けなさが混ざった気持ちになる。それともそこまで強硬に、歩夢が犯人だと決めつけたい理由が立花にはあるのだろうか――。

あまりにかたくなな立花の態度に、逆に疑わしくなってくる。立花もあの包丁を手にするのが可能だったのだから。

(でもそうしたら動機はなんだろう)

首をひねりつつ、歩夢は政宗の背後について館の中に入った。どうも空中を一人で漂っているより政宗の肩に摑まっているほうが楽で、申し訳なかったが、手を政宗の肩に置かせてもらう。

館の中は「鑑識」と入った上着を着た者や警官、刑事たちが大勢、うろうろしていた。

「どうも。竜徳寺、政宗さん、ですね？」

近づいてきたのは背広姿の四十歳前後と見える男だった。彫りの深い整った顔立ちで、ウェーブのかかった髪をゆるく流しているのもおしゃれといえばおしゃれだろう。だが、その顔つきにはどこか小ずるい感じが漂っているように歩夢には思えた。

「わたしは警視庁捜査一課課長の藤沢(ふじさわ)といいます。このたびはどうも」

(じゃあこの人が、もう捜査は終わってもいいって言った課長さんか)

歩夢は相手に響かないとわかっていて藤沢をにらんだ。もう捜査は打ち切ってもいいだろうなどと、とんでもない。しっかり仕事をしてほしい。

(俺を帰らせたのもこの人なんだな)

凶器が出たのに、重要参考人の歩夢を帰らせていいと判断したのも「課長」だったと加賀は言っていた。加賀に引き止められても帰ったのは歩夢だが、あのまま警察にいたらホームから転落することもなかったのにと、逆恨みめいた気持ちが湧いてくる。

「はじめまして、竜徳寺政宗です。捜査の状況はいかがですか」

政宗が尋ねる。

「いやあ……今のところ、おにいさんの寝室からはこの館の人の指紋と靴跡しか出てきてないんですよねえ」

「身内が疑わしいということですか」

「おとう様の遺言で揉めていらしたとか」

藤沢の目がいやな光を帯びて政宗に向けられた。

「はい。父は初恋の女性の息子である椎葉くんにこの館と預貯金全額、そして次男であるわたしに、系列会社の経営に関与する大切な種類株式を相続させるつもりでした。父の遺言書が兄には不満で、弁護士を立てて徹底抗戦するつもりでいたようです」

「椎葉歩夢ですね。彼とあなたに、おとう様は特別な思い入れがあったわけですか」

「先ほども申し上げた通り、椎葉くんは父の初恋の人の血を引いていた。椎葉くんへの遺贈は彼女の結婚をさんざん妨害した罪滅ぼしのつもりだったんでしょう。ただ、椎葉くんはその遺贈を辞退したがっていました。わたしへの相続は……兄は系列会社の多くで重職についていましたし、大株主でもある。いくらわたしに特別な株券をゆずられても、それだけで会社を好き勝手できるわけではありません。兄は怒っていましたが、父はおそらく、わたしに兄のサポートをさせたくて、株券の相続という形でわたしを経営に巻き込みたかったのだと思いますよ」

「なるほど、なるほど」

なるほどとうなずきながらも、同意しているわけではないのが伝わってくる口調だった。

「椎葉歩夢は莫大な財産を受け取るつもりはなかった。あなたはおにいさんが脅威に感じるような経営への口出しをするつもりはなかった。なのにおにいさんはあなた方への遺贈を怒って、その遺贈を取り消させようとしていた」

「ちょっと……！」

身体があれば。声が届けば。

歩夢は加賀の上司である藤沢に抗議したかった。藤沢の言い方では政宗が自分の本心を偽って、欲がないようにふるまっているかのようだ。

歩夢だけではない、政宗まで豊久殺害にかかわっているとでも言いたいのだろうか。

しかし、政宗は含みのある藤沢の言葉に怒るどころか、口元にうっすらと笑みを浮かべた。

「ええ、事実はそういうことです」

「なるほど」

もう一度、藤沢はうなずき、目を光らせた。

「椎葉歩夢は意識不明のままのようですが、あなたにはまたお話を聞かせてもらうことになるかと思います」

「捜査には全面的に協力させていただきます。いつなりとお呼び出しください」

政宗は軽く頭を下げた。その顔に浮かぶ余裕のある薄い笑いが歩夢には頼もしく見える。

頬に不機嫌な影を宿した藤沢は「それでは」と踵を返しかけたが、政宗が「藤沢さん」と呼び止めた。

「兄はいつ、こちらに帰していただけますか。葬儀はきちんと出してやりたいのですが」

「もう司法解剖は終わってますよ。受け取りに行けば渡してもらえるはずですが、確認しておきます」

「なるべく早く迎えに行ってやりたいのでお願いします」

藤沢の「受け取り」という言い方に引っかかっていた歩夢は、政宗がさりげなく言いかえた言葉にほっとした。

「あと、兄の葬儀や事後処理のために父の書斎を使いたいのですが、いいですか」

「おにいさんの寝室と凶器が見つかった庭以外はどうぞご自由に」

許可を得て、政宗は立花にも書斎を事務所代わりに使うと伝えて書斎に入る。

部屋に入って一番に、政宗はまず、内ポケットから折り畳み式の鏡を出した。歩夢のために用意してくれていたらしい。大机に置く。

「政宗様！　警察は政宗様まで疑って……」

鏡の中で目が合ったが、宣言通り、政宗は無言だ。小さくうなずかれる。

「さ……」

政宗は持ってきたカバンの中からタブレットを取り出した。

「葬儀会社に連絡して、密葬の準備をしてもらうか。それから……兄が弁護士になにを頼んでいたか、確かめないとな」

独り言を装って予定を歩夢に伝えてくれる。

満久氏の葬儀も政宗が取り仕切ったが、間を置かずに二度の不幸に見舞われた竜徳寺家の中で、政宗はてきぱきと各方面に連絡を取り、ことを進めていく。

（政宗様、本当にすごい……）

葬儀会社と親戚のうるさ方への事情説明をすませると、弁護士の長瀬のほか、豊久が満久氏の相続に関して新たに雇った弁護士や会計士に電話をかけ始めた。

「新しい依頼？」

政宗の声のトーンが変わったのは、豊久が相続問題で雇った弁護士と話していた時だ。

「兄が、言ったんですか？　それはいつ……二日の昼？　殺された日に兄のほうからあなたに、そんな話があったんですね？」

（新しい依頼？）

いったい豊久はなにを新たに頼みたかったのだろう。

「その内容について兄はなにも言っていませんでしたか。……そうですか。ありがとうございました」

電話を切った政宗は、これは歩夢に聞かせるつもりなのか本当に独り言なのか、

「相続のほかになにを頼むつもりだったんだ？」

とつぶやく。

しかし、そのことばかりを考えているわけにもいかないようで、政宗は今度は系列の会社に電話をかけだした。豊久が重役や代表を務めていた会社に混乱を詫び、捜査が落ち着いたら社葬をする準備であること、まずは社の内部で豊久不在の穴を埋めてほしいことなどを話していく。

「政宗様、お昼はどうなさいますか。こちらで召し上がられますか、それとも食堂においでになりますか」

二時間ほどがあっという間に過ぎ、立花が昼の予定を尋ねてきたのは正午近くだった。

「食堂に行きます」

政宗がそう答えているのに、立花はすぐには立ち去ろうとせずぐずぐずしている。

「政宗様、玲香様や秀久様、ほかにおば様方、おじ様方、皆様、それぞれお好きなことをおっしゃる

と思いますが、立花は大旦那様の跡は政宗様がお継ぎになるべきと存じます」

なにごとか書き込んでいたタブレットから政宗は無言で目を上げた。

歩夢は政宗と立花のあいだにふよふよと移動する。

「こんな時にぶしつけなのは重々承知でございますが、大旦那様に続いてこのような事件が起こって、館の者も皆、不安がっております。系列の会社も困りましょう。もともと大旦那様は、政宗様にこそ、本当は跡を継いでほしいとお考えでいらっしゃったにちがいありません。遺言書で多くの株券を政宗様にゆずられたのがなによりの証。ですから……」

ふーと政宗は大きく溜息をついた。

「……気楽な次男坊が俺の質には向いています」

「なにをおっしゃいますか！　大旦那様の血を一番濃く引いていらっしゃるのは政宗様でございますよ！」

「……関連会社の株価が下がっています」

苦い声だった。政宗の眉間に薄いしわが刻まれている。

「竜徳寺の人間がいようがいまいが会社組織にも経営にも問題はない。だが世間はそう思ってくれません。当主が病死し、今度は次期当主が殺され……世間は竜徳寺のこれからを不安視しています。株価の下落はその空気の反映でしょう。……このままではいけないとは思っていますよ」

（政宗様……）

自分だったら、と想像して歩夢は怖くなる。

いきなり大会社をいくつもまかされたら、その重圧はいかほどだろう。もちろん、竜徳寺の家に生まれた以上、そういうことは覚悟の上だろうけれど。

（でも政宗様は最初からこの館で暮らしていたわけじゃない……）

中学に上がる年に満久氏に引き取られたと聞いた。突然、財閥の息子の一人として生きることを求められた政宗はなにを感じたんだろう――。

「ですからなるべく早くに政宗様が竜徳寺家を継がれると、発表なさいませ」

立花がここぞとばかりに畳みかけてくる。政宗はまた溜息をついた。

「兄の葬儀をすませてからの話です」

「わたくしは政宗様が竜徳寺を継がれることは大旦那様のご遺志であったと思っておりますよ」

念を押すように立花はそう繰り返す。

（そうか。立花さんにも動機があるのか）

立花が歩夢の指紋がついた包丁を盗んで豊久を刺したのだとしても動機がわからないと思っていたが。あそこまで熱心に政宗が当主の座につくことを願っていたのだとしたら、豊久を亡き者にしようとしても不思議ではない。

鏡越しに政宗と目が合う。政宗も同じことを考えているのか、その目はどこかつらそうだ。

「……立花さん」

政宗が立花に呼びかける。

「二日の晩は椎葉くんが当直していたと聞いたが、あなたの指示だったんですか」

「はい。年のせいか、大旦那様が亡くなられてからの疲れがとれず……朝起きて旦那様のお支度をする自信がなかったので、椎葉に泊まってくれるよう、頼みました」

警察にも同じことをすでに説明しているのだろう、立花の語り口はなめらかだ。

「あの晩はお義姉さんも外泊だったんでしょう。椎葉くんにだけまかせて、不安じゃありませんでしたか」

「朝六時半には林も来ますし七時にはマリカも出てくる予定でしたから」

「では一日の片付けも椎葉くんにまかせて？」

「ええ。八時にはわたくしは家に戻らせていただきました。おかげさまでゆっくり休むことができましたが、あんなことが起こるとは……。わたくしが椎葉に当直なんか頼まなければよかったのです」

立花はあくまでも歩夢の犯行と信じている。――いや、あくまでもそういうことにしたいのか。

歩夢は立花に見えないのを幸い、じっとその顔を見つめた。

嫌われているのはわかっていたが、立花は本当に歩夢がそんなことをする人間だと思っているのか。

「……そうですか。引き止めてすみませんでした」

「いえ、ご用事があればお呼びくださいませ」

丁寧に頭を下げて立花が出ていく。

「政宗様……」

鏡の中に呼びかける。そこで、今度はこんこんこんと性急なノックの音がした。政宗が返事をするより早くドアが開く。

秀久だ。

「なあ。親父の遺産、いつ俺の口座に振り込まれる？」

挨拶もなしにいきなりそれだ。

「……秀久」

　政宗が眉間を押さえる。

「まだ相続の手続きはなにも始められていない。おまえが遺贈されるのは株券と不動産だから、どちらも名義の書き換えが先だ」

「現金あるだろ、現金」

「……現金は遺言で椎葉歩夢くんに遺贈されることになっている」

「チャラだろ、そんなん。殺人犯なんだから」

　歩夢は無言で目を見開いた。立花にも決めつけられた言い方をされたが、ここまで強い言い方はされていない。

「まだ捜査中だ。それにたとえ犯罪者であっても、遺贈される権利は変わらないぞ」

「え、マジ？　おかしいだろ、そんなん。財産くれるっていうやつの息子を殺しといて、財産はもらえるとかさあ」

「まだ椎葉くんが本当ににいさんを殺したかどうか、わからないだろう。あまり先走って決めつけるな」

　政宗がきつい口調で言い返してくれる。うれしかった。

「それに何度も言うが、犯罪と相続の権利は関係ない」

「あんたはいいの。あんな縁もゆかりもないやつに、この屋敷も金もとられて」

「……縁もゆかりもあるだろう。おとうさんの初恋の相手の息子だ」

「赤の他人じゃゃん。なあ、兄貴は裁判起こすつもりだったたんだろ。弁護士に頼んでるって、俺、聞いてるぜ。兄貴が死んだんだから、あんたが代わりに訴えてよ。そんな金は払えないって」

「公正証書としてきちんと効力のある遺言書だ。訴えるつもりはない」

「マジかよ。使えねえな」

ふっと政宗の口元がゆるんだ。

「ならおまえ、自分で訴えてみればいいだろう」

えーっと秀久は顔をしかめる。

「法律とか弁護士とか面倒じゃん。金はほしいけどさあ」

（秀久様……）

ひとごとながら脱力して、歩夢はふわんとその場に沈んだ。こういうところが秀久の憎めないところでもあるのだが、金、金と騒ぐわりに、秀久は詰めが甘い。

「あ、じゃあさ、兄貴の遺産は？　兄貴は遺言書なんか残してないだろ。現金がほしいんだよ」

「……期待しているなら気の毒だが。兄弟に妻子がいる場合、兄弟には相続権はないぞ」

「はあ？」

「少しは自分で調べてみろ」

「咲姫はともかく、あの女に兄貴の金がいくなんておかしいだろ」

「なにもおかしくない。法律で決まっていることだ。……ついでに教えておいてやるが、にいさんの死亡前に、にいさんにはおとうさんの相続権が発生している。玲香さんと咲姫にはおとうさんの遺産分も相続されるぞ」

「んな馬鹿な話があるか」

「馬鹿なのはおまえだ。金がほしいなら少しは勉強しろ」

政宗の言葉に秀久は目を剝いたが、さすがにこたえるところがあったのか、無言で踵を返した。足音高く出ていこうとする背中に、

「秀久」

と政宗が声をかける。「なんだよ」と目つきも悪く秀久が首だけこちらにひねる。

「おとついの晩、おまえはこの家にいたのか」

「いたよ」

あっさりと秀久は答える。身体をこちらへと向けた。

「あれだよな、あの女もたいがいだよな。親父が死んで一ヶ月もたってないのにほけほけ外泊とかさ。浮気でもしてんじゃねえの、ホントは。まだ咲姫も小さいのにさあ」

「人手もあるし、にいさんもいたからだろう」

「人手があったってさ。あの晩、結局俺が咲姫の歯磨き手伝って寝かせつけてやったんだぜ？　椎葉なんか役に立たねえから」

「それはあなたが……！」

電球を替えるように言ってきたから！　思わず反論しかけて、相手に自分が見えていないのを思い出す。

「そうか。咲姫はおまえになついているからな」

「べっつに……なついてるわけじゃ……」

（あれ？）

秀久が咲姫を可愛がっているのは知っていたが、なついていると褒められて秀久は照れているようだ。

「でもわざわざ咲姫を寝かせつけるために離れから来てくれたんだろう？」

政宗がうまく話を誘導する。

「いや、電球が切れてさ、誰かに替えてもらおうと思ってきたら、咲姫がリンゴ剝いてもらってるところだったんだ。それで俺が咲姫を寝かせつけるからって言って、椎葉には電球替えてもらいに行ったんだ。けどどうでもいいだろ、そんなこと」

「いや、どうでもよくないんだ。凶器に使われた包丁はうちの厨房にあるものだったらしい。おまえ、その時に厨房から包丁を持ち出したりしてないか」

「はあ?! なんだよ、それ。俺は兄貴を刺したりしてねえぞ！ 椎葉のやつ、リンゴ剝きっぱなしで行っちまったけど、どうせすぐ戻ってくるだろうから、俺は咲姫だけ連れてそのまま二階に上がったんだ。あとのことなんか知らねえよ」

「なるほど」

「まあとにかくさ。早めに金もらえるように頼むぞ」

言いおいて秀久が部屋を出ていくと、政宗は「ふー」と椅子に腰を戻した。

鏡越しに目が合う。

「お、お疲れ様です……」

ほかに言いようがない。なんて兄弟だとは思っても、そんな失礼なことは言えない。

「秀久様、嘘をついていらっしゃる感じじゃないですよね。本当に包丁はそのままだったんじゃないかと思います」

最初に釘を刺されていた通り、政宗は無言だったが、歩夢のその意見には同意を示すようにうなずいてくれた。


昼食の席には玲香と咲姫の姿がなかった。

「お義姉さんは」

小声で政宗が立花に尋ねる。

「はい……警察の捜査をお嬢様にお見せしたくないからと、奥様のご実家に」

「そうか」

政宗は言葉少なくそう言ってうなずいただけだったが、政宗の肩に掴まっている歩夢には、政宗がほっとしたのが伝わってきた。

(政宗様は咲姫様のことを心配してるんだ)

五歳の咲姫に父親が殺されたことが理解できているかどうかはわからないが、大勢の警官が家に踏み込んでくるところを咲姫が見ずにすんだのはよかったと思う。

結局、広い食堂で食事は政宗一人で、秀久も姿を見せなかった。

マリカの顔が見られればと思っていたが、給仕には立花が立ち、マリカの姿もない。

会いたいなと思った瞬間、きゅんと引っ張られるような感覚があった。闇の中から政宗のことを考えて引っ張られた時に似ている。

「政宗様！」

食堂には壁面に大きな鏡があった。その鏡に映る政宗の横顔に向かって叫ぶと、なにかが通じたらしい。政宗が鏡のほうを見てくれる。目が合う。

「マリカさんのところに行ってきます。すぐ戻りますから！」

そう伝えた次の瞬間、歩夢は掃除機に吸い込まれるほこりのように、壁と空間を超えていた。

「本館の食堂でお召し上がりになればいいじゃないですか」

マリカのつんけんした声が聞こえてきた――と思ったら、歩夢は見覚えのある、離れの秀久の部屋にいた。茶の間でテーブルを前にあぐらをかいた秀久をマリカが見下ろしている。

「なんだ、その態度は。主人に食事を持ってくるのもおまえの仕事だろうが」

「なにをおっしゃってるんですか。わたしは竜徳寺満久様に雇われてる形になってるんですよ。あなたはこの館の居候で、わたしはあなたからお給料をもらってるわけじゃないです」

（おおお）

立花が聞いたら怒るかもしれないが、歩夢はマリカの毅然とした態度に拍手を送りたい気分だった。

「おまえまで俺を馬鹿にすんのか」

「秀久さんが馬鹿なことばかり言うからでしょ」

秀久がマリカに怒りだしたらどうしよう。最初は面白かったが、すぐに歩夢は心配になってきた。あまりずけずけ言って殴られたりしないだろうか。しかし、

「……政宗にも、馬鹿なのはおまえだと言われた……」

心配はいらないようだった。秀久は意外な素直さでマリカの前で肩を落とす。

「政宗、じゃないでしょう、おにいさん、ですよ」

「……一つしかちがわないんだ。あいつは妾の子だし」

「関係ないです」

「……親父が椎葉にゆずるって言ってた金、俺がもらえるもんだと思ったのに……」

はあーとマリカは大げさな溜息をついた。

「きちんとした遺言書があって、弁護士さんがついてるんでしょう？　そんなの椎葉さんが法的にいりませんって表明しない限り、秀久さんがもらえるわけないじゃないですか。わたし、高卒ですけど、それぐらいわかりますよ」

「でも！　でもあいつは兄貴を殺して……！」

「まだ決まってないです！」

マリカが毅然と言い返してくれる。

「でも証拠が……」

「捏造されたのかもしれないじゃないですか」

身体があったら抱きついていたかもしれない。少なくともこの屋敷に、自分のことを信じてくれている人がいる……それだけでうれしくなってくる。

マリカは満久氏が歩夢に預貯金とこの館をゆずるという遺言書を遺していたとわかったあとも、歩夢への態度を変えなかった唯一の同僚だった。

「捏造……」

秀久がぽかんとする。本当に想像していなかったらしい。

（やっぱり包丁を隠したのはこの人じゃないな）

歩夢は確信を深める。

「お金がほしいなら真面目に働きなさい」

しごく当たり前のことをマリカが諭す。年は十ほど秀久のほうが上のようだが、地に足がついているのはマリカのほうだ。

「人に使われるのはいやなんだよ」

「お金に使われるのはいいのに？」

「……お金に、使われる？」

秀久が目を見張ってつぶやく。マリカは「そんなこともわかんないの」とでも言いたげだ。

「お金持ちの家に生まれたのに、お金お金って走り回ってるのはお金に使われてるってことだと思うんですけど」

「………」

返せる言葉がないのか、秀久が悄然（しょうぜん）とうなだれた。

マリカと秀久の話をもっと聞いていたかったが、「政宗様、そろそろ食事終わったかな」と思いを馳せた瞬間に、歩夢はまたひゅっと政宗のところへ戻っていた。政宗はちょうど車のドアを開けようとしているところだった。

「政宗様！」

背後から声をかけると、運転席の窓に映る影に政宗は気づいてくれたようだ。

乗り込んでバックミラー越しに話す。

「よかった。間に合って」

「一度、社に戻らねばならん。魂よく一日に千里をもゆく……幽霊状態のおまえならすぐに追いついてくるだろうとは思ったが、置いておくのはどうかと思っていたところだ」

政宗が自分のことを気にかけてくれていた！　うれしくて「にへへ」と変な笑い声が出てしまう。

「ありがとうございます！」

殺人犯の疑いをかけられて、身体は意識不明で、こんな霊体になってしまっているけれど、でも遠い憧れの人だった政宗との距離が一気に縮まった気がする。

「秀久はちがうな」

車を発進させながらの政宗の言葉に、歩夢は急いで顔を引き締めた。にやにやしている場合ではない。政宗が近くにいることを許してくれるのも、真犯人の手がかりを摑むためだ。

「はい。俺もそう思います。さっき、マリカさんの顔を見たくて飛んでいったら、秀久様のところにいて……二人の話を聞いても、やっぱり秀久様は包丁に関係ないと思いました」

「立花さんが兄を殺したとはとても思えないが……引っかかるところがあるのは立花さんのほうだな」

「人を疑っちゃいけないですけど、俺もあやしいのは立花さんのほうだと思います。でも、もしかしたら全然ちがう人が入り込んでたかも……」

「その可能性はある」

歩夢もそうだったが、政宗も幼い頃から世話になっていた立花を疑いたくない気持ちがあるのだろう。政宗の会社であるワイアールに着くまで政宗は口を開こうとせず、歩夢もそんな政宗を見つめるだけでなにも言えなかった。

　政宗はワイアールで秘書たちからの報告を聞いたり、いろいろな指示を出したりしたあと、また館に戻り、今度は葬儀社と立花と打ち合わせをすませた。そのあとも目まぐるしく何人もの人間と連絡を取り合い、自宅マンションに帰ってきたのはもう夜の十時近かった。

「政宗様、お疲れ様でした」

　夕飯はワイアールの近くの店で弁当を買ってきた。だが、熱いお茶の一杯も淹れられないのがくやしい。

「先に風呂を浴びてくる。……今朝みたいについてくるなよ？」

　のぞいたと自己申告してしまった以上、釘を刺されるのは仕方ない。

「……気をつけます……」

　ドアも壁も関係なく移動できる霊体は便利だが、興味のあるところへすぐ飛べてしまうのは考えものだ。シャワーの音が響いてきて、「あ」と思っただけで広いリビングから洗面所の前まで移動していた。あわててリビングに戻る。

「心頭滅却すれば火もまた涼し……南無妙法蓮華経、南無阿弥陀仏……ににんがし、にさんがろく……」

　なんとか政宗以外のことに神経を集中しようと大声でいろいろ唱えてみる。九九はなかなか有効だった。

「くくはちじゅういち！　ににんがし……」

四回目の九九を目を閉じて必死にがなっているところで、洗面所のドアが開いた。スエット姿の政宗がタオルで髪を拭きながら出てくる。消えているテレビ画面に向かって政宗が目を見張る。そこに目を閉じて上を向き、大声で九九をがなる自分と政宗の姿が映っていた。

「なにをしている」

「あ、い、行きたいところに行けちゃうので……九九を……」

その説明で政宗は歩夢の努力を察してくれたらしい。ぷっと吹き出した。

くつろいだ恰好で、前髪も垂れていて、眼鏡もしていない。スーツ姿の時とは別人のように見える政宗の笑顔に、歩夢はきゅんと胸が高鳴るのをおぼえる。

政宗は朝と同じ鏡をテーブルに置くと、笑みの残った瞳を向けてきた。

「……マリカくんのところにでも行っているかと思った」

「え」

ここでマリカの名が出たことに驚いた。鏡の中の自分もきょとんとする。

「仲がよさそうだ」

「仲はいいですけど……！　そんな……家に押しかけるほどじゃ……」

「好意を持った相手のところには飛んでいけるんだろう？」

当の本人に当てこすられたようで、顔が熱くなってくる。

「それは……そうみたい、です。でも……マリカさんは同僚として仲がいいだけで……」

特別な好意があるわけではない。そう言いたいけれど伝わるだろうか。

「秀久からメッセージが来ていた。館の人間がおまえの見舞いに行きたがっているが、病院を教えてもらえないかとな」

マリカだろうか。少なくとも政宗はマリカからの頼みだと疑っているようだ。

「状況が状況だからな。ホームから転落したのがおまえの意思じゃないとしたら、おまえの入院先はあまり多くの人間に知らせないほうがいいだろう。俺も知らないと答えておいた」

そうだった。

もしかしたら自分も誰かに狙われているのかもしれない——ぞっと背筋が寒くなる。

「大丈夫だ。おまえの入院先は警察も伏せている。加賀が警備をつけてくれているそうだ」

「あ、ありがとうございます」

「加賀もがんばってくれているだろうが、なんとか真犯人を突き止められるといいんだが」

「はい」

「兄がなにを弁護士に新たに頼む気だったのか、それも引っかかる。お義姉さんにも話を聞いてみないとな」

警察とは別に情報を集めて真犯人探しをしてくれる政宗は頼もしいが、今日一日見ていただけでも政宗が処理しなければならない案件は恐ろしい量だった。

「すみません……政宗様、おいそがしいのに、こんなことまで……」

政宗を巻き込んでしまったのが申し訳なくて、歩夢はくしゅんと小さくなる。

「……異母兄ではあるが、家族が殺されたんだ。兄のためにも本当の犯人を突き止めたい。おまえのためだけじゃない」

そんなふうに言ってくれる気持ちがうれしい。

「あ……ま、政宗様、お弁当召し上がってください！　俺、お茶も淹れられなくてすみません」

「ああ、じゃあいただくか」

そうして政宗はソファにかけると、弁当を開いた。

「これはおまえの分だ」

と蓋におかずをいくつか盛ってくれる。手を合わせて、気持ちを味わい、

「ごちそうさまでした。あとはもう政宗様が」

と押し返す仕草をした。

「もういいのか。……ところで何度も言っているが、政宗様はやめろ。様はいらない」

「でも……」

「おまえはあの家で働いているというだけだ。旦那様、奥様ぐらいは便宜上仕方ないが、竜徳寺の人間みんなに様付けをする必要はない。咲姫のような子供まで年長者を呼び捨てにするのも教育上、本当はよくないだろう」

そんな考え方もあるのか。竜徳寺の館で勤めることになって「そういうもの」だと思っていたけれど。

「政宗様は……」

じろりと見られて、あわてて「政宗さんは」と言い直す。

「豊久様や秀久様とはちがう考え方をなさるんですね」

「……彼らは生まれた時から、人を使い、人に仕えられるのが当たり前だったが、俺は十二までは母と二人で暮らしていたからな」

「あの……政宗、さんのおかあさんと俺のかあさん、本当にそんなに似てたんですか？」

ずっと聞いてみたいことだった。

無言で政宗は箸を置いて立ち上がった。壁際のラックから薄い本を取り出す。

「俺の幼い頃の写真は義母にほとんど捨てられてしまったが」

ひどいことをさらりと言い、本を開いた。それは薄いアルバムだった。

「これが俺の母だ」

開かれたページには小学校の入学式と運動会のスナップが貼られていた。そこには今よりうんと丸顔で愛らしい男児とその母親が写っている……。

「え、これ……！　え?!」

男児は政宗だろうか、とても可愛らしいが、歩夢の目はその母のほうに吸い寄せられた。

「かあさん？　え、ちがう……でもそっくり……」

ぱっと見では見間違えるほど、政宗の母は歩夢の母に似ていたのだ。

「似ているだろう」

「はい……そっくりです……」

「おまえを見た時、俺の弟かと思ったという話はしたな？　母は俺が竜徳寺の家に引き取られてから姿を見せないが、どこかで弟を作ったのかとな」

「……そう思っても、無理ないです……」

「おまえに写真を見せてもらって、別人だとわかったが……似ているのは顔だけだ。おまえの母と俺の母はまるでちがう」

目を細めて、政宗は写真を撫でた。その眼差しはどこかせつなげで、つらそうだ。

「……母は泣いたり怒ったりばかりしている人だった。たまにしか来ない父に、本当に好きなのはわたしじゃないんでしょう、わたしは身代わりなんでしょうと……なじってばかりいた。成長するにしたがって、俺が父に似ていくのがつらかったんだろう。おまえもひどい男に育つにちがいない、人をまともに愛せるはずがないと何度も言われた」

「そんな！　え、それひどくないですか?!」

母によく似た政宗の母。満久氏が、初恋の人を忘れられずによく似た人を愛人にしたのは確かに責められるべきだし、そんな理由で手を出された政宗の母が傷つくのもわかる。しかし、息子の政宗をそんなふうになじるなんて……。

「――我が父ながら、父は罪作りな男だった。不誠実で、自分の気持ち一つ、上手におさめられない男だった」

抑えられてはいたが、政宗の父親への深い憤りが感じられる声音だった。

「おまえの母親の身代わりに俺の母を愛人にして、しかし、俺の母を本当に愛することはついぞなかった。母が俺をうとむようになったら、母に手切れ金を握らせて俺を引き取った。豊久と秀久、義母にとっても、父はひどい父だった。愛人の子を連れてきて、今日からおまえたちの兄弟だ、我が子と思って可愛がってやってくれと言って、妻と子にいらぬ苦労を味わわせた。おまえの母親に対してだけはそれでもいい男だったのかと思ったが、あの遺言書だ。別れなければならない相手の結婚を延々と妨害するなんて、身勝手もいいところだ」

満久氏の遺言書には歩夢も顎がはずれるような気持ちだった。

「結局、あの男は財閥の当主としては優秀でも、自分の家族も、そして初恋の相手も、幸せにできなかったんだ」

政宗の口元に、皮肉な笑みが浮かぶ。それは遺言書公開の場で政宗の顔に浮かんだのと同じ笑みだった。

（そうか。それであの時、政宗さんは笑ってたのか……）

「……竜徳寺は、歪な家だ」

静かな声だった。目を細めて、薄いアルバムに目を落としながら、政宗が語る。

「いびつ……」

「俺の母は金をもらって俺を父に差し出し、姿を消した。義母は俺をいびり抜いたが、実の子である豊久と秀久のことも父に認めてもらうための道具ぐらいにしか思っていなかった。義母が死んだ時、秀久は泣いたが、豊久は泣かなかった。父にいたってはせいせいしたという顔をしていた。父の死でも誰も泣かなかった」

「え……」

声が出た。

「政宗さんは……泣いてましたよね？　葬儀の祭壇の前で……」

背を丸め、肩を震わせていた姿を歩夢は見ている。

「……見ていたのか」

政宗は顔をしかめた。

「すみません……」

「あやまることはない。……あれは、その、なんだ。一応、父親ではあるし……育ててもらった恩はあるからな」

気のせいか、政宗の頬が赤らんでいるように見えた。

(もしかしたら、泣いているところを見られて照れていらっしゃる……？)

「……しかし」

政宗は眉をくもらせてうつむいた。

「俺も同じだ。……兄があんな死に方をしたのに……いや、あんな死に方だったからか……俺は泣けないんだ」

朝も政宗は豊久の死が実感できないようなことを言っていたが、泣けないことを逆につらく感じているのか。本当に冷たい人間なら、泣けないことを苦にしたりはしない。情が深いからこそ、政宗は自分を責めてしまうのだろう。少しでも政宗のつらさをやわらげたくて、歩夢は言葉を探した。

「……で、でも……豊久様は政宗さんに嫌みばっかり言ってらっしゃったし、マリカさんも言ってました。政宗さんはいじめられてたって。だったら……泣けないの、当たり前です！」

必死に言うと、政宗が顔を上げた。目元がなごんでいる。

「ありがとう」

手が伸びてきた。頭を撫でてくれようとしたのだろうか。だがその手はするっと空を切る。

「…………」

政宗はなにも触れることができなかった自分の手をじっと見つめた。

「……今、おまえの頭をぽんぽんとしたかったんだ」

「あ、ありがとうございます……でも俺、今幽霊だから……」

あはは、と笑ってみせたが、鏡越しの政宗に笑いの気配はない。真剣な眼差しだ。

「……おまえは、どんなあったかさをしているんだろうな」

つぶやかれる。

「おまえはそのままでも十分に明るいし……俺の気持ちも明るくしてくれるが、身体があったら……どんな感じなんだろうな」

身体があったら……。

鏡の中で自分の顔が、突然火力をいっぱいに上げられたストーブのように急激に赤くなっていくのを見て、歩夢はあせった。

「そ、そんな……か、身体があったら……俺、きっと今、心臓やばいです！　心臓なくても、そんなん言われたら……めっちゃドキドキです！」

政宗は一瞬、目を見張り、そして声を上げて笑った。

「心臓なくても、か。でもおまえ、真っ赤だぞ」

「そ、それは政宗さんが変なことをおっしゃるからです！」

必死で言い返したが、政宗はまた笑う。

その笑い声は明るくて屈託がなくて……ああ、今、身体があったらなあと歩夢も思わずにいられなかった。

翌朝は加賀からの電話で起こされた。

霊体でも睡眠はとれるらしく、政宗の寝室でふよふよ漂っていた歩夢は電子音に驚いてリビングまで飛んでしまった。

「……いや、いい。そろそろ起きる時間だった。どうした、椎葉の容態に変化でも……」

戻ってくると、政宗が話しているところだった。

「……そうか……そうか。……わかった、ありがとう。……あ？　それもいいが、椎葉のほうを優先してくれよ」

もうすっかり鏡越しの会話にも慣れた。半身を起こした政宗がベッド脇のチェストに置いた鏡をのぞき込む。

「椎葉、いるか」

「はい、おはようございます」

「加賀からだ。おまえの容態に変化はないそうだ。身体の異常は見つからないのに、相変わらず意識は戻っていない」

「たぶん、俺が戻らないとダメなんだと思います」

「そうだろうな。で、警察はおまえが転落したホームの防犯カメラを調べたそうだ。男が一人、おまえが言った通り、転落直前におまえの背後を通ったらしい。だが、突き飛ばしたり、蹴ったりといった行為は確認できなかったと」

「そうですか……」

「一瞬、意識を失ったと言ったな？」

「……意識を失ったのか……そこだけ記憶がないのか、わかりません。とにかく気がついたら、ホームから落ちかけてて、電車が入ってくるのが見えて……」

「警察はその男の足取りを追っているが、まだ手がかりはないという報告だった」

「俺が……どうしてホームから落ちたのか、思い出せれば……」

大きな手がかりになるはずなのに……。どうしてその場だけ記憶がないのか、もどかしい。

「おまえの話には関係ないが」

政宗が鏡の中でにやりと笑った。

「きのう陣頭指揮を執っていた加賀の上司の藤沢さん。不倫疑惑があるらしいぞ」

「へ？」

「奥さんが署に乗り込んできたんだと。殺人事件の捜査も大変だが、加賀はそっちもほっとけないと言うから、おまえのほうを優先で頼むと言っておいた」

さっき聞いたセリフはそういう意味だったのかと腑に落ちる。加賀が上司の不倫をほうっておけないと言ったのは友達同士の冗談だったのだろうが、そこで歩夢を優先にと言ってくれた政宗の気持ちがうれしい。

（どうしよう、俺……）

死ぬ前に恋がしたかった、政宗が好きだったと気づいてここに飛んできてしまったけれど……昨日の朝より、ずっと、政宗のことが好きになっている。

外見や雰囲気しか知らずに憧れのほうが強かった感情に、政宗とずっと一緒にいて、個人的な話も聞いて、親しみや深い好意が色濃く混ざっていく。

（身体に戻ったって、それでうまくいくわけがないのに……）

政宗にとって自分は館の従業員の一人でしかない……。

「どうした」

はっとした。

「下に落ちてるぞ。それに全体にどんより暗い」

「あ」

はっとして浮上して鏡を見ると、本当に影が重く、濃くなっていた。この姿だと感情はよりダイレクトに表れてしまうらしい。

「不安なことがあるなら……」

「いえ！　そんなんじゃなくて、どんどん政宗さんのことが好きになってってやばいなって……！」

あわてて口を押さえるが、一度出た言葉は消せない。

「わ、忘れてください！」

鏡の中で政宗の目が細くなった。笑われる。

「ほう？　忘れていいのか」

低い声で聞かれて、歩夢は「うわああ」と両手で顔を覆った。

「ダメです！　そういうの！　あー、めちゃドキドキする！」

「おまえは……」

なにか言いかけてやめ、政宗はベッドから立ち上がった。

「支度をする。今日もいそがしいぞ」

「は、はい」

そうだ。まだまだ片付けなければならないこと、明らかにしなければならないことばかりだ。

(なにを浮かれてるんだ)

歩夢は自分を叱って、リビングへと出ていく政宗のあとについた。


その日は朝から政宗はワイアールに出社し、竜徳商事や竜徳建築、竜徳寺が資本を出している銀行、保険会社、運送会社と連絡を取り合った。ワイアールの社長室には一言、政宗と話をしたい、そういった財閥系列の会社の重役たちが入れ替わり立ち替わり、訪れてきた。

館に行くことができたのはもう夕刻だった。朝から曇り空だったせいか、暗くなるのがいつもより早い。夜には雨が降りだすかもしれない。

一通りの捜査は終わったのか、庭先にはもうパトカーも警察官の姿もなかった。

「葬儀会社の方が、午後になって警察からお引き取りくださって」

と立花に案内された客間では、まだ納骨をすませていない満久氏の後飾り祭壇が横に移され、正面に新たな祭壇が設けられていた。二段ほどのシンプルな祭壇には遺影が掲げられ、彫刻があしらわれた棺が安置されている。

(旦那様があそこに……)

首の周りを血まみれにして、目をかっと見開いて死んでいた姿が思い出された。

(怖い)

はたから見たら霊体でふよふよしている自分も十分怖い存在かもしれないが、怖いものは怖い。いったい誰が豊久の首に包丁を突き立てたのだろう。豊久が抵抗して揉み合ったようには見えなかった。寝ているところを一突きにしたのなら、相当な胆力と腕力がいるだろう——。

(俺にはできない)

どれほど恨みのある相手でも首を狙って包丁を振り下ろすなんて、考えただけで恐ろしい。

立花と政宗は葬儀の段取りを話していた。

「本当に葬儀は密葬になさるのですか」

「ええ。社葬は父と一緒に大々的におこないます。とりあえず密葬という形で、兄はあす、送りましょう。あとからなにか言われるかもしれないが、親戚筋にも知らせないでください」

「本当によろしいのでございますか。せめておじ様、おば様には……」

「一人呼んだら、その家族も来る。犯人が逮捕されていないのです。本当の動機もわかっていない。大勢呼ぶのはすべてが落ち着いてからのほうがいいでしょう」

政宗の言葉に立花は心外そうに眉をひそめた。

「お言葉ではございますが、犯人はもう逮捕されたも同然でしょう。証拠の品が見つかっているのですから。それに狙いだって明らかではないですか。大旦那様の遺産をもらおうとして、邪魔な旦那様を……」

「椎葉くんは遺産を受け取るつもりはなかったようですよ。それに本当に遺産をもらうために兄を殺したなら、あんなにかんたんに見つかるところに証拠の品を隠すでしょうか」

「しかし……」

「警察はまだ逮捕状も請求していません。とにかく今は、兄を静かに送りましょう」

「……承知いたしました」

立花はそう言って頭を下げたが、声は低く、顔には「不服です」と書いてある。

「お義姉さんと咲姫はまだお義姉さんの実家ですか」

「いえ、先ほどお戻りになられました」

警察の捜査が終わってすぐ戻ってきたのだろう。

「書斎にいます。お義姉さんを呼んできてもらえますか」

「はい、かしこまりました」

立花が下がってから、政宗は祭壇に向き直った。居住まいをただして合掌する。

心の中でなにを話しかけているのか、その横顔は真摯だ。

（きのうは泣けないっておっしゃってたけど……）

棺に向かって手を合わせる姿からは、その死を悼んでいる気持ちが溢れている。

しばしそうして遺影と棺に向かって手を合わせてから、政宗は踵を返した。書斎に行く。

館内では会話はできないと言われているが、政宗は大机に昨日と同じように手鏡をさりげなく置いてくれた。目が合うとうなずいてくれる。

タブレットを出して受信したメッセージを確認しているところへ玲香が来た。

「こんばんは。きのうは留守にしていてごめんなさい」

濃紺のワンピースに真珠のネックレス、綺麗に化粧をして巻き髪を垂らしている玲香は、これからレストランにでも行くかのように見える。けれどそれが彼女にとっては「普通」なのだ。

「お義姉さん、兄のこと、お力落としではないですか」

政宗は立ち上がり、玲香をそっと机の前の椅子へといざなった。

「ああ……」

玲香は目を伏せると首を横に振った。政宗の手を借りながら、崩れるように椅子に座る。

（いやだ）

長身で美男美女で……そんな二人が寄り添うさまは、こんな時だが歩夢には似合いの二人に見えた。

咲姫が「おじちゃんと行ったから、ナイショのおみやげ」とハンカチをくれたことがあったのを思い出してしまう。「おじちゃんがおとうちゃまだったらいいのに」とも言っていた。

子供の言うことだから、そこまで深い意味はないだろうと思っていたけれど、こうして玲香と政宗が二人で一緒にいるところを見ると、落ち着かなかった。

もやもやする。

玲香と豊久は寝室も別で、夫婦仲はもう冷えきっていた。玲香は金の無心ばかりの秀久にも笑顔を見せなかったが、政宗だけは別だった。甘い声で話しかけるのを歩夢も聞いたことがある。

今も、

「なんであんな死に方を……」

つらそうにうつむく玲香は、さりげなく政宗の腕に置いた手を離そうとしない。

しかし、

「隣の部屋にいた咲姫が無事だったのはなによりです」

政宗はそう言うと、手を置かれているのを気づいていないかのように玲香から離れた。机を挟んだ自分の椅子に戻る。

「咲姫はどうしていますか」

やはり玲香は首を振った。

「まだ死とはどういうものかわかってはいないでしょうけど……おじいちゃんのことも、主人のことも、あの子は好きでしたから……」

「そうですか……場合によってはカウンセリングを考えたほうがいいかもしれませんね」

「わたしも受けてみようかしら」

「いいと思いますよ。……ところで」

政宗が口調を変えた。

「お義姉さんに聞きたいことがあります」

「……なにかしら」

不安そうに玲香は口元を押さえる。

「あの晩のことなら……警察に何度も話したわ。わたしは友達の家に泊まってて……」

「お義姉さんのアリバイを疑っているわけではありませんよ。お聞きしたいのは兄がなにかトラブルに遭っていなかったかということです」

「トラブル？」

「兄は父の遺言書の内容に異議を申し立てるつもりで、弁護士を頼んでいました。竜徳寺が世話になっている弁護団は長瀬さんをはじめ、三人が遺言執行者に指名されていて使えない。そこで兄は大林(おおばやし)さんという新しい弁護士を頼んだんです。その大林さんによれば、兄は殺害された日の前日、時間にすれば十四時間ほど前に、『新しく頼みたいことができた』と伝えていたそうです」

玲香がぶるっと身を震わせた。その目がきゅっと吊り上がる。

「……新しく、頼みたいこと？」

「ええ。内容については会ってからということで翌日のアポを入れたそうです。兄がなにを依頼するつもりだったか、一度、お会いして聞いてみるつもりなんですが……お義姉さん、なにか心当たりはありませんか？」

「知らない、知らないわ。わたしはなにも聞いてないもの」

髪が揺れるほど大きく、玲香は首を横に振る。

「そうですか。なにか犯人につながる手がかりがあるのかと思ったんですが」

「犯人……犯人はあの執事見習いでしょう⁈　だって包丁から指紋が……」

「凶器の包丁からは調理師の林さんの指紋も出てますから」

「でも……でも！　林にはアリバイがあるじゃない！　それに包丁を入れた袋からは椎葉の指紋しか出ていないはずでしょう‼」

玲香の声がヒステリックに高くなる。政宗は肘をつくと顔の前でゆっくりと両手の指を組んだ。

「……確かに、物証は椎葉くんに不利ですが……父の遺産を辞退するつもりだった椎葉くんがなぜ兄を殺さなければならなかったのか、わからなくて」

「そんな……そんな、本当に辞退なんかするわけないじゃない！　二千五百億よ！」

「いえ、俺は本当に受け取るつもりなんか……！」

つい声を上げてしまったが、幸いなことにやはり玲香には聞こえなかったようだ。政宗がちらりと鏡ごしにこちらを見て、すぐに玲香に目を戻す。

「……自分がとてもほしがっているものをほしがらない人間がいることを、認められませんか」

声を荒らげる玲香に対して、政宗はとても静かにゆっくりと問いを投げた。だが、その問いはさらに玲香を怒らせたようだった。

「わたしがお金ばかりほしがるいやしい人間だっておっしゃりたいの」

政宗は痛みを感じたかのように眉をひそめた。

「そういう意味ではありません」

「もういいわ」

玲香が立ち上がった。

「あなたと話すことはこれ以上ありません」

「明日、午前十時から兄の葬儀をこの館にいる身内だけでおこないます。その後、火葬場に」

「わかりました！」

政宗の言葉尻を奪うように返事をすると、玲香は足音高く、書斎を出ていった。

「………………」

なにを思うのか、無言のまま政宗は椅子を回した。背後の窓を見やる。その横顔は沈鬱で、話しかけるのはためらわれた。

(旦那様、好きな方ではなかったけど……奥さんにまで全然悲しまれてないって気の毒だな)

子供の頃から仕えていたはずの立花も、「これで次期当主は政宗様」と豊久の死を喜んでいるようにさえ見えたし、咲姫という子供まで二人のあいだにいるのに玲香の態度も冷たい。

父が亡くなったあとの母の嘆きようを思い出す。

ガンで闘病を続けていた父の死を、子供だった歩夢でさえ覚悟していたというのに、母は本当に目が溶けてしまうのではないかと思うぐらい嘆き悲しんだ。

（お金があって、贅沢ができて、でも、死んだあとに泣いてもらえないのはいやだな）

いつもお金に困っていたけれど、好きな絵を描いて、バイトをして、そして母に涙ながらに送られた父は豊久より幸せだったんじゃないだろうか。

（まあ、人の幸せ具合なんて、はたからはわからないもんだけど）

そんなことを考えているうちに、大粒の雨が窓を叩きだした。

「降ってきたな」

政宗がつぶやき、そして空が一瞬、カッと白くなった。稲光だ。続いてドーンと窓が震うような雷鳴がとどろく。雨脚がいっそう強くなる。

また空に、ぱしぱしぱしっと白い閃光(せんこう)が走る。

「あ」

ぴりっと身体に電気が走ったような感覚があった。

「あ、あ、あ……」

思い出した！

「政宗さん、政宗さん！」

あわてて政宗の肩を揺さぶる。実体のない歩夢の手に、しかし政宗は「ん？」と視線をめぐらしてくれた。鏡の中で目が合う。

「思い出しました‼　ホームから落ちた時！　びりって、電気が走ったんです！」

政宗が目を見開く。「本当か」、声に出さずに唇の動きだけで問いかけられる。

「本当です！　腰のあたりからでした！　電気が走って、一瞬意識が飛んだんです！」

これがどんな手がかりになるのかわからないが、忘れていたことを思い出せたのはうれしい。

政宗が深く大きくうなずいてくれる。

駅のホームで歩夢の後ろを通り過ぎたという男。その男がなにか武器を持っていたとしたら……豊久殺害の罪を歩夢に着せて、歩夢を殺してしまうつもりだったのだとしたら……。

事件の大きな手がかりを摑んだ感触に、歩夢は興奮を抑えられなかった。


その夜、マンションへと帰る車の中で政宗は加賀に電話をかけた。運転中なのでハンズフリーで歩夢にも聞こえる。

「椎葉がホームから転落した時に、後ろを横切った男のことはなにかわかったか」

いつも通り、歩夢本体の容態を確かめたあと、政宗はそう切りだした。

『いや、それが反対方向の電車に乗ったところまでは確認できたんだが……』

加賀の歯切れが悪い。

「どうした、なにかあったのか」

『いや……磁気かなにかに触れてしまったらしくてな、提出された駅ホームの録画データが見れなくなっちまってて……』

歩夢は目を丸くした。重要な証拠になるかもしれない防犯カメラのデータが飛ぶなんて……。

『再確認ができん』

申し訳なさそうに告げる加賀に、政宗は「デジタルのデータはもろいからな」とうなずいた。

「仕方ないな。もしかしたら、椎葉は通りすがりにスタンガンかなにか押しつけられた可能性があるんじゃないかと思ったんだ。おまえ、椎葉がふらりとホームから落ちたと言っていただろう。一瞬、意識が飛ぶようなショックを与えられていたとは考えられないか」

本人から聞いたとは言えない政宗が上手に質問を作る。

『スタンガンか。なるほど、その可能性はあるな。改造して電圧を大きくしていたら、服の上からでも一瞬意識を失うかもしれん。それなら動画がなくても、椎葉くんの身体に火傷かなにか痕が残っているかもしれないな。もう一度病院に問い合わせておこう』

「頼む。それから一つ、教えてほしいことがある。報道では凶器がナイロン袋に入っていたとは言っていないように思うんだが」

『ああ、それはホシしか知らない事実ってやつだ。マスコミには伏せてある』

「やはりか……」

『おい』

加賀の声がスピーカー越しにでもわかるほどに緊張した。

『なにか摑んだのか。誰が袋のことを知ってたんだ』

「それは……もう少し、待ってほしい。もしかしたら、俺のように捜査関係者から聞いた可能性もある」

溜息が返ってきた。

『もし本当にホシだとしたら、すでに一人殺してるわけだからな。それを忘れるなよ。捜査はぼくたち警察にまかせてくれ』

「わかってる」

『ああ、それから』

加賀が続けた。

『言い忘れるところだった。おまえが気にかけてる椎葉くんな、これまではＩＣＵだったが、容態が安定してるんで、今日から一般病棟の個室に移ったからな』

自分の身体のことなのにまるで実感がなかった。気づいた時からほとんどずっと政宗と一緒で、どんな病院なのかも歩夢は知らない。おかしな感じだった。

「そうか、ありがとう。椎葉のことはよろしく頼む」

じゃあなと、政宗が通話を切ってすぐ、

「政宗さん」

歩夢は後部座席から身を乗り出した。

「今の話……」

捜査本部が公表していない事実を、豊久の妻である玲香が知っていたということになる。今の歩夢には病室が変わったことよりも重大事だ。

「……まずは、明日、葬儀のあとに兄がいったいなにを新たに頼みたかったのか、弁護士の大林さんに確かめてからだ」

政宗の顔に、またさっきと同じ沈鬱な影が浮かんだ。

「明日は……咲姫と父親との最後の別れだ。とにかく、静かに送らせてやりたい」

(ああ、だから……)

凶器が入っていた袋があったことも、その袋に自分の指紋がついていたことも、玲香は知っていた。

それをなぜ加賀に伝えないのかと不思議だったけれど……。

雨の中、もう無言でハンドルを握る政宗を歩夢は後ろからじっと見つめた。

〈4〉


翌朝は前夜の大雨と雷が嘘のような晴天だった。

館では、玲香、秀久、立花のほか、長年この館に仕えてきたキヨミやコックの林、運転手の向井、庭師の後藤、そしてマリカも喪服姿で棺が安置されている客間に集まっていた。密葬とあってあとは葬儀社の人間が数人、厳粛な面持ちで隅に控えているだけだ。

ブラックフォーマルに身を包み数珠を手に客間へと入った政宗は、ざっと部屋を見回すと、

「咲姫は?」

開口一番、そう尋ねた。

「さっきまでここに……」

歩夢も驚いて広い室内を見回したが、手前にかたまっていた使用人たちも祭壇近くの椅子に座っていた玲香たちもあわてた様子だった。

「咲姫、咲姫?」

玲香と秀久が咲姫の名を呼びながら祭壇や満久氏の後飾り祭壇の後ろをのぞき込んだり、マリカたちがテーブルの下をのぞいたり、カーテンをめくったりしているが、咲姫の小さな姿はない。

「俺は部屋を見てきます」

政宗はそう告げて大股に客間を出た。

「椎葉」

ごくごく小さな声だったが、歩夢は政宗の肩から「はい」と身を乗り出した。

「探せるか」

そうだ。今は行きたい人のところへ念じただけで行けるはずだ。

「はい！」

政宗に聞こえなくてもいい。元気に返事をして、歩夢は咲姫のことを思い浮かべてみた。それだけで、まるでバキュームで吸い寄せられるように咲姫のところへと飛ぶことができた。

「お嬢様！」

正門に近い、塀沿いの薔薇の茂みの近くだった。黒いワンピースを着た咲姫は落ちていた小枝でアリの行列をつついている。

思わず声をかけると、咲姫は顔を上げてまっすぐに歩夢を見た。だが、はっきりと歩夢の姿が見えるわけではないらしく、小首をかしげると、またうつむいてアリの列を崩しだす。

歩夢は急いで……霊体の便利さを活かし本当に秒速で、政宗のところに戻った。政宗は小さな手鏡を手に咲姫の部屋へと向かっているところだった。

「政宗さん、咲姫様、いました！」

どこだ、と目線だけで尋ねられる。

「お庭です。正門に向かって左手の塀のそばに」

早口で伝えると、政宗はすぐに踵を返した。走るように外へ飛び出す。

「咲姫！」

「おにいちゃま！」

政宗の声に咲姫がぱっと立ち上がった。

(おにいちゃま?)

咲姫がナイショのお出かけをしたのは、政宗ではなかったのだろうか。「おじちゃんと」と咲姫は言っていた。五歳の咲姫が本人の前と他人の前で呼び方を変える器用さを持っているとは思えない。

(じゃあナイショのお出かけをしたおじちゃんって誰だったんだろう)

咲姫がよく怒る豊久よりおとうさんになってほしかった相手とは……。

政宗はスーツが汚れるのもかまわず咲姫を抱き上げる。

「咲姫、勝手に出てきちゃダメだろう。今からおとうさんとお別れの会だよ」

「おとうちゃま……」

咲姫の目がうるうると潤みだす。

「おとうちゃまも、おじいちゃまはころされたんだっていってたの。ころされると、しんじゃうの?」

「……そうだよ」

「おかあちゃまがおとうちゃまとおなじなの? もうあえないの?」

(奥様、なんてことを……)

年端もいかぬ子供に父親の死を伝えるのに、殺されたことまで言う必要があるだろうか。

「……そうだよ。殺されると死んでしまうんだ」

「おとうちゃま……いたいいたいだった?」

咲姫はとても心配そうだ。歩夢は政宗がなんと答えるのか、自分だったらなんと答えられるのか、はらはらしながら政宗を見た。

「少し、痛かったかもしれないけれど……少しだったと思うよ。きっとすぐに、おじいちゃまが迎えにきてくれたから。そうだ。咲姫は会ったことがないけれど、おとうちゃまのおかあちゃまもきっと迎えに来てくれたよ」

涙に濡れた咲姫の目が大きく見開かれた。

「おとうちゃまの、おかあちゃまと、おじいちゃま?」

うん、と政宗がうなずく。その瞳は優しく、姪を見つめる。

「死んだ人だけが行くあの世っていうのがあるんだよ。そこから、おとうちゃまにはちゃんとお迎えが来たからね、おとうちゃまは怖くなかったし、痛くなかったよ」

「でも」

咲姫の大きな目からぽろりと涙がこぼれた。

「咲姫はもうおとうちゃまにあえないの? おはなししたり、だっこしてもらったり……」

「……咲姫は、おとうちゃまが好きだった?」

子供ながらに迷うのか、咲姫は困ったように目を伏せた。

「……おとうちゃま……よくおこった。でも……あえなくなるのはいや……」

「そうか……」

政宗は咲姫を抱え直すと、流れた涙を指でぬぐってやった。

「もうおとうちゃまは怒ったりしないよ。死んじゃうと怒れなくなるからね。それでいっつもにこにこして、咲姫のことをお空から見ててくれるよ」

咲姫が「ほんとう?」と政宗を見つめる。

「本当だよ」

「おこらない？」

「怒らないよ」

「みててくれる？」

「ああ、ずっとね」

ぐすっ。歩夢は叔父と姪の会話に洟をすすった。……鼻水が実際に出るわけではないのだが。

（やっぱり政宗さんは優しい）

一見、クールで無表情で、情に惑わされないタイプのように見えるけれど。でもこうしてずっと一緒にいると、政宗が本当に人の気持ちを大切にする優しさを持っているのがわかる。

咲姫はもう泣いていなかった。政宗に抱っこして運ばれながら、父親の影を探すように青い空を見上げる姿に、歩夢はまた目頭がじんと熱くなる。

（それにしても奥様……）

父親が殺されただなんて、いくらそれが真実でも、年端もいかない子供に伝える必要があるだろうか。憤りを胸に、歩夢は政宗と咲姫とともに客間に戻った。

「このたびは、まことにご愁傷様でございます。時間となりましたので、ただいまより、竜徳寺豊久様ご葬送の儀を始めさせていただきます」

政宗と咲姫、ほかの参列者が席に着くとすぐ、葬儀会社のスタッフが静かなトーンで開式を告げた。

客間のドアから僧侶が三名入ってくる。

インターフォンが鳴ったのはその時だ。

マリカがさっと立ち上がり、玄関へと急ぎ足で向かう。

（どうしたんだろう）

「え、ちょ、ちょっと……」

マリカのあわてたような声が聞こえ、どやどやと大勢の気配がする。

「失礼します」

加賀だった。部下らしき背広姿の男数人を引き連れて客間に入ってくる。

「竜徳寺政宗さんはこちらですか」

「はい」

政宗が立ち上がる。

加賀はつかつかと近寄ってくると、警察手帳を見せた。

「あなたが竜徳寺豊久氏の殺人事件に関係しているという情報が出てきました。お話をうかがいたい。重要参考人として署までご同行願えますか」

加賀の表情も声も硬い。毎日のように情報をやりとりしている旧知の仲にはとても見えない。

「兄の事件にわたしが？」

意外そうに……いや、本当に意外だったのだろう。政宗が聞き返す。場がざわめいた。

「わたしが兄の死にどうかかわったというんですか」

「それは署でお話しします。ご同行を」

「今はご覧のように兄の葬儀中です。任意でしたら、葬儀が終わるまでお待ちいただきたいのですが」

政宗のほうも、親交のある相手に対する柔らかさは封印している。

ひそひそと加賀は後ろの刑事たちとなにごとか相談して、また硬い顔を政宗に向けた。

「お気持ちはわかりますが……少しでも早くお話を聞かせていただけるとありがたい」

二人のやりとりを歩夢は政宗の背後ではらはらしながら聞いていた。加賀の表情が硬いのが気になる。演技ではないとしたら……本当に政宗になんらかの嫌疑がかけられているのだろうか。

しばらく政宗はじっと加賀の目を見つめ返していたが、やがて、

「わかりました」

と溜息まじりにうなずいた。

そうして政宗は玲香たちに向けて一礼すると僧侶たちへも丁寧に頭を下げ、最後に棺へ向けて手を合わせた。

「行きましょう」

こんな形で兄と最後の別れをしなければならないのを憤るように、その頬の線は硬い。

どうすればいいんだろう。

実体のない歩夢には刑事たちの歩みを止めることはできない。

歩夢は刑事たちに両脇を挟まれるようにして部屋を出る政宗の肩に掴まっていることしか、できなかった。


政宗はパトカーの後部座席に乗るようにうながされ、隣には加賀が座った。政宗が座り直すふりでバックミラーをのぞいた時に、歩夢はしっかりと目を合わせた。一瞬だが、ついてきていることは政

宗にちゃんと伝えられた。

「兄の事件に、なにか新たな証拠でも出てきたんですか」

「くわしい話は署に着いてから……と言いたいですが、気になりますよね」

加賀はあくまでも刑事と重要参考人という立場を崩さないつもりらしい。他人行儀にうなずく。

「まあ、いわゆるタレコミです。音声データの提出がありました」

その加賀の言葉に政宗は思い当たることがあったらしい。

「……そういうことですか……」

深く座席にもたれて、溜息まじりに言う。

「それはおだやかではないですね」

「父の死後、寝室と書斎で遺品の整理をしていたんですが、その時に、いくつか盗聴器がありました」

「ご存知でしたか」

「全部はずしたつもりでいましたが……残っていたか、あるいはそれ以前の会話か……」

歩夢も以前、館の中に盗聴器が仕掛けられている可能性があるから、話しかけられても返事はしないと言われていた。その盗聴器が使われたのだろうか。

「署に着いたら、ゆっくりと聞いていただけますから」

「……誰が盗聴器を仕掛けたのか、考えたんですが……」

加賀はここでくわしい話はしたくないようだったが、政宗はやめなかった。独り言のように聞こえるが、歩夢に聞かせるためにちがいなかった。

「父が財産をどう分割してわたしたち三兄弟に継がせるつもりなのか……一番気にしていたのは兄の

豊久でした。秀久も気にしていましたが、あれが来ると立花がいつも目を離さないようにしていたので、ああ、秀久は時々、金目のものを勝手に持ち出して売り飛ばしたりしていたからなんですが……立花に見張られていて、盗聴器なんか仕掛けるスキはなかったでしょう。兄でなければ、立花という線もありますが……立花はそれこそ父を神のように思っていましたから、その父の動向を盗み聞きしようというつもりはなかったんじゃないかな。やはり一番疑わしいのは兄ですが、兄が盗聴器の受信機を持っていたとすれば……兄の死後、それに触れられるのは義姉の玲香でしょうかね……」

「まあ、資産家のご家庭ですから、いろいろ庶民にはわからない問題がおありなんですね」

加賀は政宗の推理が当たっているともはずれているとも口では言わなかったが、前の座席から見えない低い位置で、指で丸を作った。

「そういえば……」

政宗が指で額を押さえた。

「父が屋敷と預貯金全額を遺贈するといった、うちの執事見習いの椎葉歩夢くん……彼に相談されたことがありましたよ。どうやったら遺言された遺贈を拒否できるのかと。兄にとっては寝耳に水だったでしょうね。父の初恋の相手の息子なんていう赤の他人に父の個人資産の多くをゆずるなんて。彼と同様……わたしへの株式の遺贈も兄には不本意でした。わたしたちへの遺贈が無効になるように兄は申し立てるつもりだろう……そんな話を椎葉くんとしましたが……その会話の断片をつなぎ合わされたら、逆にわたしと椎葉くんがその申し立てをなんとかしなければと話しているように作り上げることができるんじゃないかな……」

「証拠を捏造したとおっしゃりたいのかもしれませんが、そういうことは迂闊におっしゃらないほうがいい。こちらもあらゆる可能性は考慮して捜査を進めていますから」

やはり加賀は口では政宗をたしなめるようなことを言いながら、指で丸を作ってみせてきた。

「もちろん、わたしも義姉がわたしをおとしいれるようなことをするとは思っていませんよ」

にっこりと笑みを作って政宗は言い、窓の外へと目を向けた。ちょうどトンネル状の高架下を行くところで、窓に政宗の顔と歩夢の影が映った。

「…………」

無言だったが、目を合わせて、政宗がほんのわずかばかり顎を引いてうなずいてくる。

(そうか！)

今の自分には実体がないが、実体がないからこそできることがある。

「政宗さん、待っててくださいね！」

車は高架下を抜けて、窓に映っていた影は急速に薄れたが、きっと声は……思いは、届いただろう。

歩夢は玲香を思い浮かべた。――会いたい。

思いのままに、歩夢はパトカーから外へと飛び出していた。


「どういうことですか！」

まだ葬儀は終わっていないはずだったが。

歩夢が玲香に会いたいと念じて飛んだ先は館の食堂の片隅だった。立花と玲香が人目を避けるようにして立っている。だが二人の間の空気は険悪だ。

声を潜めて会話する二人の上空に歩夢は陣取った。

「仕方ないじゃない」

喪服であっても唇を赤く光らせた玲香がいらだたしげに首を振る。

「政宗さんは弁護士にあれこれ聞き出すつもりだったわ。もしも、あの人がわたしと離婚したがっていたなんて、政宗さんにばれたら……。それに政宗さんは椎葉が犯人なはずがないと信じてた。だからあの人が頼んでた弁護士にも会うつもりだったのよ」

「だからといって政宗様を巻き込むとは……！　わたくしはそんなつもりであなたに協力したんじゃありません」

「別に……巻き込むってほどのことじゃないじゃない！　政宗さんが椎葉をそそのかして、あの人を殺させた……実際に手を下したわけじゃなければ、いい弁護士がつけば数年でしょう？　そのあいだに、お義父様の遺産も、あの人の遺産も、相続は終えられるわ」

「なにをおっしゃってるんですか！」

怒りのあまりか、立花は声を潜めることも忘れたようだ。大きな声を出す。

「数年！　政宗様が数年どころか数ヶ月でも身柄を拘束されるようなことがあったら、竜徳寺はボロボロになりますよ！　大旦那様に続いて旦那様が殺されて、株価がどれだけ下がっているか、ご存知ないんですか！　秀久様だけが残るなんて、悪夢もいいところだ」

言っているあいだにさらに腹が立ってきたらしい、立花は止まらなかった。

「旦那様が政宗様を相続人からはずして竜徳寺から追放するつもりだというから、わたくしはあなたに協力したんです！　あなたが言う通り、椎葉の指紋がついた刃物を渡したのは、政宗様のためでした。いいですか、わたくしは政宗様が大旦那様の遺言通りに相続できるように、あなたに協力したんです！　それなのに、当の政宗様にまで罪を着せるようなことをするなんて……あああ」

呻いて、立花は頭を抱えてうずくまった。

玲香はまるできたないものでも見るように、立花の白髪頭を見下ろした。

「仕方ないってどうしてわからないの！　あんなに証拠がはっきりしてるのに、警察もまだ椎葉に逮捕状を出さないし、政宗さんも椎葉が犯人だとは思ってない。政宗さんがもしもあの人がわたしと離婚したがっていたなんて知ったら……だから仕方ないじゃない！」

（そういうことだったのか）

そこまで聞けば十分だ。

（政宗さん！）

政宗に玲香が黒幕だったこと、立花がその協力者だったことを伝えなければ。

歩夢は文字通り、政宗のもとに飛んで戻った。

パトカーはすでに署に着いていて、政宗は以前歩夢が話を聞かれた取調室に通されていた。今は加賀のほかに、記録係りの警察官も隅に控えている。

（鏡か窓）

なんとか政宗に戻ってきたことを伝えたいが、部屋の窓は高いところにあり、加賀と政宗のあいだにある机には鏡など置かれていない。

（どうしよう）

「ではまず、送られてきた録音を聞いてもらいましょうか」

加賀が机の上に置いてあるノートパソコンを操作すると声が流れてきた。自分と政宗の声だ。

『きのうの大旦那様の遺言書のことですが……お金はほしいです。でも、旦那様も秀久様も反対でいらっしゃいますよね？』

『兄や弟の思惑など関係ない。それが遺言というものだ。遺言書の効力に問題はなく、その遺言通りに遺産分割が実行されるように、弁護団三名が遺言執行人に任命されている』

『でも、旦那様も秀久様も反対で……』

『おまえの遺贈分だけじゃない。俺が遺贈される種類株式も、兄は許さないだろう。弁護士を頼んで、たとえ裁判になっても遺言書の効力について争うつもりだ』

『なんで……なんで、そんな……』

『兄は頑固だからな。おまえに一円もやりたくないし、俺には種類株式を渡したくない』

『じゃあ、じゃあ、どうすれば……どうすればいいんですか？』

『兄を説得するか……それとも、兄を……しかないな』

声も出せないほど、歩夢は驚いた。

確かに政宗と似たような会話をかわしたおぼえはある。だが、実際に交わしていた会話と、おそらくは削除と切り貼りをほどこされた会話は意味が真逆になっている。本当は「一円も受け取りたくない」という話をしていたはずなのに。

「肝心なところは聞こえないが……この録音からはあなたが椎葉歩夢におにいさんの殺害を示唆しているように汲み取れます」

加賀が言い、

「この録音はいじられている」

政宗が冷静に反論する。

「似たような会話はしたが、意味は真逆だ。わたしは父の金を一円も受け取りたくないという椎葉くんの相談を受けていた。この音声データをよく解析してくれ。つぎはぎされているのがわかるはずだ」

加賀は気の毒そうに顔をしかめた。

「この録音だけじゃないんですよ。あなたが椎葉に豊久氏を寝ているあいだに刺すように指示したと聞いていた人物もいます」

「嘘です！」

思わず叫んだ。その時だ。

『、そ、す』

パソコンのスピーカーから歩夢の声が流れた。加賀と政宗がぎくりとパソコンを見る。

（これ、いけるのかも……！）

ラジオや電話から幽霊のメッセージが聞こえることがあるという怖い話を聞いたことがある。電磁関係とあの世のものは共鳴しやすいとも。

歩夢はパソコンに向かって声を張り上げた。

『嘘、す、その証言、嘘、』

切れ切れだが、なんとか声を流せる。

「椎葉、椎葉か！」

政宗が胸ポケットから鏡を取り出した。パソコンのキーボードの上に置く。

急いで歩夢はその鏡をのぞき込んだ。

「政宗さん！」

「え、え?!」

鏡に映った歩夢の姿に加賀はパニックを起こしたようだ。あわてて室内と鏡を何度も見比べる。

「ゆ、幽霊?!」

「いや、生き霊だ。ここ数日、俺と一緒にいる」

「はあ?!」

加賀の声が裏返る。が、さすがに現職の刑事だけあって、すぐに表情を改めると、記録係の警官にしばらく部屋を出ているようにと指示を出した。

「どういうことなんだ」

「まずは椎葉の話を聞こう」

「政宗さん、加賀さん」

政宗にうながされ、それでもやはりこわごわ鏡をのぞき込む加賀に歩夢は笑みを浮かべてみせた。

……よけいに怖がらせてしまったようだったが。

「話を聞いてきました。全部、全部、玲香さんがしたことでした。玲香さんが立花さんに、俺の指紋がついた刃物を用意するように言ったんです」

加賀はすぐにメモをとり始める。

「立花さんは玲香さんから、旦那様が政宗さんを相続からはずして竜徳寺から追放するつもりだって聞かされたんです。それで立花さんは玲香さんに協力しちゃって……俺の指紋がついた包丁を玲香さんに渡しました」

「椎葉に兄を殺すように俺がそそのかしたと、この録音を持ち込んだのは玲香さんか」

政宗が加賀に尋ね、加賀が「そうだ」とうなずいた。

「旦那様は玲香さんと離婚したがっていたそうです。政宗さん、旦那様が頼んだ弁護士に話を聞きにいくつもりだって、玲香さんに話しましたよね？　そこで玲香さんは政宗さんに自分が離婚されかかっていたことがばれる前に、政宗さんに罪を着せようと考えたらしいです。そのあいだに旦那様の相続を終えてしまおうと……」

「豊久氏殺害の実行犯は？」

「それははっきりとは聞いていません」

加賀に質問されて、歩夢は首を横に振った。

「玲香さんは凶器の包丁が入っていたナイロン袋には椎葉の指紋しかついていないことを知っていた」

「マジか」

政宗に向かって加賀が目を見張る。あまりの驚きの連続に態度がいつもと同じに戻ってしまっている。

「おにいさんがお義姉さんと離婚したがっていた理由は？　それもわかるか？」

「いや、そこまでは」

「そうか……ああ、いや、これでも十分な情報だが……椎葉くんはどこでそれを？」

「今、館に戻って、立花さんと玲香さんが話しているのを聞きました」

「え……あ、そうか……いやでも、生き霊の証言能力ってのはどうなるんだ……?」

加賀が頭を抱えたところで、部屋のドアがノックされた。刑事が顔を出す。

「加賀さん、ちょっといいですか」

呼ばれて加賀がドアまで出ていく。

声が聞こえてきた。

「さっき、入院中の椎葉歩夢のおじだと名乗る人から連絡があったそうです。着替えとか届けてやりたいから、入院先を教えてもらえないかって。それでうっかり巡査が答えちゃったんですけど、これってなにも問題ないですよね?」

おじ?

歩夢は目を丸くした。

「俺、おじさんなんていませんけど?」

おじさんどころかおばさんもいとこも祖父母もいない。天涯孤独と意識したことはないが、親戚が多いのはにぎやかでいいなあと思ったことはある。

「なに?」

ぽやんとした歩夢に対して政宗はさっと緊張の色を走らせた。

「おい! 椎葉にはおじはいないぞ!」

政宗の大声に、加賀が振り向く。

「え……え……じゃあ、おじって名乗った人は……」

伝えに来た刑事があたふたする。

「一般病棟でも椎葉には警備をつけてあるんだろう?」

政宗が聞くと、

「それが」

と加賀の歯切れが悪くなった。

「椎葉くんの病室はナースステーションの真ん前なんだ。課長がわざわざ警官を配備しておくことはないだろうって……病院はほら、入り口にカメラもあるし」

課長というと、あの藤沢だろうか。粘っこい、いやな目つきを思い出す。

「なに?」

政宗が加賀にきつい眼差しを向けたその時、

「あ?」

歩夢は背中から後ろへぐいっと引っ張られる感覚に驚いた。政宗の肩付近にいたのに、すごい力で引き剝がされそうだ。

「ま、政宗さんっ‼」

あせって政宗の肩にしがみつこうとするが、後ろへと引っ張られる力のほうが強い。

「椎葉!」

政宗もあわてて手を伸ばしてくれた。手が触れ合う。だが歩夢の手は摑んでくれた政宗の手からするりと抜ける。

「政宗さん……!」

急激に周囲が暗くなってきた。明るい世界がどんどん遠ざかる。

政宗の姿も小さくなり、ついには見えなくなった。

しかし——離れたくないと望んでいたからか、それとも政宗も引き止めようとしてくれているからか。

「加賀！　椎葉が危ない！　すぐに病院に行く！」

闇に完全に呑まれて、政宗の姿が見えなくなっても、声だけは聞こえてきた。

「いや、おまえを行かせるわけには……」

「任意の事情聴取だろう。止める権利はないはずだ」

「それはそうだが……だからといって……」

「……なるほど。わかった。では電話を一本かけてもいいか」

「電話？　電話ならいいが……」

「蜷川（にながわ）さんだ。知っているだろう？　警視総監をしている」

「けい……！　おまえ、取り次いでもらえると思ってるのか。いくらなんでも……」

「個人の携帯に直接かけるつもりだが。そうだな。取り次いでもらうのもいいな。おまえ、本部にかけてくれるか。竜徳寺の次期当主が至急の用があると伝えてくれ。心配するな。すぐに出てくれる」

「………………」

政宗の言葉に加賀がなんと答えたのか、絶句したのか、もうそれは聞こえなかった。

（政宗さん、警視総監って）

笑いたいような、泣きたいような、おかしな気分だった。

一緒にいるあいだ、政宗は誰に対しても自分の立場や財力をひけらかすようなことはしなかった。

竜徳寺を継ぐことについても自分は気楽なほうがいいと言っていたのに。

(俺のため？)

だとしたらうれしいが、ちょっとあまりにも男前すぎないか。

(もう俺、今でもめちゃくちゃ政宗さんのことが好きなのに……)

涙が出そうだった。

誰かのことを好きだと感じると、こんなにせつなくなるのか、こんなに深い喜びがあるのか。

(よかった。俺、本気で人を好きになれたよ)

もう周囲は真っ暗で、なにも見えないし聞こえない。

今度こそ、死ぬのだろうか。

恋した。けれどまだ、キスもしていない、抱き締められてもいないのに。握手でさえまだだ。

(もう一度、もう一度、政宗さんに会いたいなあ)

そう思ったのを最後に、歩夢の意識もまた、真っ暗な闇に呑まれていった。

＊　＊　＊　＊

手首がずきずきと痛い。

その痛みに合わせて、温かいものがその痛いところからどんどん流れて出ていく——。

(寒い……痛い……寒い……)

意識が戻ってきて最初に感じたのは手首の痛みと全身の寒さだった。

手首の周りだけは温かいが、とにかく寒い。

そして、身体が重い。

（あ、俺……身体に戻ったのか）

重さを意識したと同時に悟る。

ずっと幽体でふわふわしていたけれど、どうやら身体に戻ってこられたらしい。

（いや、でも、この痛みと寒さは……）

身体的に非常にまずいのではないだろうか。

（誰か）

せっかく身体に戻れたのに、このままではまた暗闇の世界へと引き戻されそうだった。きっと、今度は戻ってこられない、本当の暗闇に。

その時、ばたばたばたっと大きな足音と、人が揉めるような大声が聞こえてきた。

（どうしたんだろう）

まぶたを開くのも、一苦労だった。眉間に力を込め、くっついてしまったような上まぶたと下まぶたをなんとか引き剝がす。

薄く開いたまぶたのあいだから、白い天井が見えた。

バーンとドアが開く音がして、

「椎葉！」

となつかしい声がした。政宗の声だ。

「ま、さ、む、……」

顔を向けて「政宗さん」と呼びかけようとしたが、首はわずかにかしいだだけで、さびついたような喉からはかすれた声しか出なかった。

髪を乱れさせ、息をはずませた政宗がのぞき込んでくる。こんなにあわてた様子の政宗は初めて見る。

「椎葉、大丈夫か……くそ！」

痛かった手首の少し上を強い力で摑まれた。

「手首を切られている！　出血がひどい！　手当てを、急いで！」

怒鳴る政宗の後ろから白衣の看護師が顔をのぞかせる。

「代わります！　止血を……え、モニターはずれてる！　血圧計と輸血準備を！」

看護師たちがばたばたとやってきて、取り巻かれた。

政宗が心配そうに壁際からこちらを見ているが、すぐ人にさえぎられた。

大丈夫ですと言いたい。目を合わせてうなずくだけでもしたいのに。

（政宗さん、ごめんなさい……俺、すごく眠い……）

すうっと意識が遠ざかる。

「椎葉さん？　椎葉さん！　寝ちゃダメですよ！　椎葉さん!!」

看護師にそう言われるが、でも眠かった。

（いいや、寝ちゃえ）

抗いがたい眠気に身をゆだねる気持ちのよさに負けて、まぶたを閉じる。その時だ。

「歩夢！」

大きな声で政宗に名前を呼ばれた。

歩夢。

政宗にはこれまで苗字しか呼ばれたことがなかったのに。いきなり下の名前を呼び捨てにされて、どきんとした。

上下くっついていたまぶたがうっすら開く。看護師をかき分けてベッド際に立つ政宗と目が合う。

「歩夢、がんばれ！」

好きな人に名前を呼ばれて、励まされている――。

不思議なことに、おへその下あたりが熱くなってきた。布団に張りつきそうなほど重かった身体に力が戻ってきて、目もさっきよりはしっかりと開くことができた。

そうだ。寝ている場合じゃない。

（俺まだ、握手してもらってない）

「脈、戻ってきました！」

「A型、来ました！」

そうだ、まだ寝ちゃいけない。

（政宗さんに……身体つきで、きちんと告白しないと……）

生き霊状態での告白しか、まだしていない。

元気になったら、政宗にもう一度ちゃんと好きだと伝えるんだ。

歩夢はそう心に誓い、遠のきそうな意識に懸命に抗い続けたのだった。

歩夢は左手首を切られていた。

枕元には『ぜんぶ僕が一人でやりました。』と書いたメモが置かれ、右手には左手を切ったとみられるカッターナイフを握らされていた。

病院入り口の防犯カメラからも、また病棟の看護師の証言からも、直前に病室を訪れたのは立花だと確認された。すぐに警察が立花を追い、任意同行を求められた立花は観念したらしい。歩夢を自殺に見せかけて殺そうとしたと、事情聴取であっさり認めた。遺書めいたメモの筆跡も立花のものと確認された。

それを歩夢に伝えてくれたのは政宗だ。

「立花さんが……」

出血量が多かったため、意識は戻ったが、歩夢はさらに数日入院していることになった。ただ、病室は政宗の手配で特別室へと移された。ドアの外にはやはり政宗が頼んだ私設ＳＰが控えている。ここまでしてくれなくていいと歩夢は言ったのだが、「これ以上なにかあったら困る」と政宗に押し切られたのだ。

特別室のベッドの上で政宗から立花逮捕とその供述報告を聞いた歩夢は貧血にも似ためまいをおぼえた。背もたれを立てたベッドに深くもたれる。

会社勤めの気分でいられては困ると、何度も嫌みを言われた。執事見習いなど必要ないとなじられた。嫌われていたのはわかっていたが、それでも仕事はきちんと教えてくれた。

殺されるほど嫌われていたのかと思うと、やはりショックだ。

いや、しかし――。

「でも……それほど立花さんは政宗さんのことが大切だったんですね……」

殺されそうになったのはつらいけれど、しかし、立花がどれだけ政宗のことを思っていたかを考えれば、理解できる気がした。

政宗は大きく溜息をついた。

「おまえが罪を認めて自殺すれば……俺への疑いが晴れると考えたんだそうだ。……まったく」

その顔に疲労の色が濃いのを見て、歩夢はゆっくりとベッドから脚を下ろした。手を伸ばして、椅子に座っている政宗の手にそっと手を重ねる。

「政宗さん……大丈夫ですか？」

立花は政宗が子供の頃から世話になっている執事だ。一緒に過ごした年数を思えば家族も同然だろう。そんな相手が、自分への愛情ゆえにあやまった選択をして罪を犯してしまう――それがつらくないはずがない。

「……俺は竜徳寺が嫌いだ」

政宗が眉をきつく寄せ、絞り出すように言う。

「父は金の力があればなんでもできると思っていた。兄もだ。ただ金があるというだけで、自分たちがまるで優秀な人間であるかのように……人の人生を好き勝手する権利があるように錯覚していた。立花さんは立花さんで……竜徳寺という家のために、生きていた。竜徳寺が大切で、それだけがすべてで……」

「……大きな、家ですから。歴史もあって、系列会社もたくさんで、竜徳寺のおかげで収入を得られている人がたくさんいます。だから……仕方ないと思います。家が大事、家がすごいって、なってしまっても」

　少しでも政宗が感じているだろう葛藤を軽くしたくて、歩夢は懸命に言葉を紡いだ。

「立花さんは……立花さんだけは、あの家で俺に優しくしてくれた……父に似ているからだろうと、兄や弟にくらべて成績がいいからだろうと……あの人だけが……」

　政宗はうつむいて額を押さえる。

「父は……俺という人間に興味がなく……兄は、勝手に俺をライバル視して、意地悪ばかりしてきた……でも、俺にとって、父は父で、兄は兄だった……。なのに、その兄を、立花さんが……。あと少しで、おまえまで……」

　苦しげな声に、歩夢の胸まで苦しくなってくる。

「立花さんは……玲香さんにいいように使われてしまったんです……俺は立花さんも、玲香さんの被害者だと思います。お金に目がくらんだ、玲香さんの……」

　心から言う。

　政宗が顔を上げてくれた。その目が心なしか潤んでいる。

「……すまない。おまえもまだ……身体がしっかりしていないのに」

「いえ、若いから回復が早いって先生に褒められました」

「……おまえが身体に戻って……肩がずいぶんと軽くなった」

　あははと笑ってしまう。

「お世話になりました」

「……ずっと、一緒にいたせいだろうか……俺はおまえに……」

おまえに？　歩夢としてはその先がとても気になるところだったが。

そこで政宗のスマートフォンが鳴った。

「加賀からだ」

と歩夢にも知らせてくれてから電話に出る。

「ああ……そうだ、今見舞いに来ている。……なに？　待ってくれ、スピーカーに切り替える」

政宗が画面をタップすると、加賀の声が流れ出した。

『椎葉くん？』

「こんにちは！　加賀さん、お疲れ様です」

『君たち二人には知らせておこうと思って。まず、竜徳寺玲香のアリバイが崩れた。女友達の家で女子お泊まり会って話だったが、立花肇の供述にもとづいてそのお友達を参考人として聴取したら、今度はあっさりと浮気のアリバイ作りだったと認めたよ。五月二日の晩も玲香はそのお友達の家には行ってない。そして立花肇は椎葉くんの話通り、リンゴを剝いたあとを片付け、包丁とナイロン袋を持ち出していた。夜中一時になって裏門からタクシーで帰宅した玲香に包丁と袋を渡した。そのあとのことは知らないそうだ』

「玲香さんは認めたのか、兄を刺したこと」

『いいや。自分は見ていただけで、刺したのは別の人間だと言っている』

「別の人間？」

歩夢は目を丸くした。

『そうだ。それで今、署の中は……いや、警視庁全体がすったもんだの大騒ぎになっている。本当だったらぼくがそこに行って話をしたいのに、電話なんかで話さなきゃいけないのもそのせいだ』

「もったいぶらずにさっさと言え」

『おそらく今日の夕方にも記者会見がおこなわれる。それを見てくれとしか、今は言えん』

「記者会見だと？」

それはおおごとだ。歩夢は政宗と顔を見合わせた。

「……わかった。記者会見を待とう。だが一つだけ聞いていいか。歩夢の腰に火傷が見つかっただろう。スタンガンを使ったのは玲香さんじゃないのか。本当に男だったのか」

『いい質問だ。それも記者会見が終わったら話せると思う。……あ、呼ばれてる。じゃあな』

こちらからの挨拶を待たず、加賀は電話を切った。

「……どういうことなんでしょう」

「共犯者がいたということだろう。駅の防犯カメラに映っていたのは玲香さんが男装していたんじゃないかと思っていたが……もし本当に男性だったのだとしたら……」

「……玲香さんの浮気相手ってことも……？」

政宗は目をすがめて虚空をにらんだ。

「……そういえば、加賀が気になることを言っていたな。凶器が発見されたあと、事情聴取を受けていたおまえの帰宅を認めたのは上の指示だったと……」

「あ、はい。そうおっしゃってました！」

「駅の防犯カメラのデータがダメになったとも……一般病棟に移ったおまえに警備はいらないと言ったのも、加賀の上の人間だった」

「え、でも」

まさかと思うのに、ヒントを並べていくととんでもない方向に疑惑の矢印が浮かび上がってくる。

「だってそしたら……」

警察の内部、しかも加賀の上司に共犯者がいるかもしれないということに……。

あまりのことに、その推理を口にするのははばかられた。しかし政宗の目の色は暗く、歩夢と同じ可能性を考えているようだった。


午後五時におこなわれた警視庁本部による記者会見の内容は世間を震撼させた。

警視庁捜査一課課長藤沢啓一、四十三歳は不倫関係にあった竜徳寺玲香の夫・豊久を就寝中に包丁で頸部を刺し殺害。凶器に使用した包丁は竜徳寺家執事見習いである椎葉歩夢が使用したものを同じく執事として勤める立花肇に盗み出させ、椎葉歩夢の犯行に見せかけるという悪質な工作も明らかになった。その後、重要参考人として事情聴取を受けた椎葉歩夢が帰宅する際、スタンガンと思われるなんらかの機器を使って昏倒させ、ホームから転落させた疑いも持たれている。

立花肇は凶器となった包丁を盗んだこと、竜徳寺玲香にその包丁を渡したこと、さらに、入院中の椎葉歩夢を自殺を装って殺害しようとしたことを認めている。竜徳寺玲香は包丁を受け取り、殺害現場へ藤沢啓一を案内したことまでは認めているが、殺害そのものへの関与は否定。

藤沢啓一にはほかに証拠隠滅、情報漏洩などの疑いもかけられているが、本人は黙秘し、認否を明らかにしていない――。

「この人……館の捜査に来てた人ですよね？　刑事さんが犯人だなんて……」

「現職の刑事が殺人容疑で逮捕され、不倫相手は竜徳寺財閥当主の妻、二人で竜徳寺を乗っ取るつもりでの犯行……マスコミが大喜びだろうな」

一緒に病室でテレビを見ていた政宗は苦々しげだ。

「あの、咲姫様はどうされていますか？」

母親と、あの館を仕切っていた立花が逮捕されて、心配なのは咲姫だ。もちろん、まだ手伝いのキヨミもマリカもいるし、シッターを頼む経済力はあるけれど。

「ああ、咲姫のことが一番心配だったんだが……マリカくんにとてもなついてくれていて、今はマリカくんが泊まり込みで一緒にいてくれている」

「マリカさんが！」

ほっとした。ストレートすぎるほどにストレートなところはあるが、マリカなら安心だ。

「ああ、秀久もよく面倒を見てくれているそうだ。シッターを頼むかという話もしたんだが、慣れた人間が世話をしたほうが咲姫も落ち着くだろうとマリカくんに言われた。しっかりした娘だな」

「はい、マリカさんはしっかりしてます」

「おまえの見舞いにも行きたいが、そんな事情で留守にしたくない、よろしく伝えてくれと言われた」

「ありがとうございます。俺も早く退院して、館に戻りたいです。……あ、俺、館に戻れますよね？　もう執事はいらないとか……」

満久氏も豊久も亡くなり、玲香もいなくなった。あの広い館に咲姫と、ふらふらしていつまた出ていくかわからない秀久の二人しか、竜徳寺の名を継ぐ者はいない……。

「なにを言っている」

政宗が心外そうに眉を跳ね上げる。

「あの館はおまえのものだぞ。維持費はかかるが、それも遺贈された現金があれば心配ない」

「え、は、いえいえいえ！」

歩夢はあせって両手を振った。

「俺、遺産なんか受け取れませんから！　こんなことがなくても受け取る気はなかったですけど、無理です、いりません！」

「そこまで固辞されるとな……」

苦笑される。

「俺、やっぱりお屋敷と預金は政宗さんが受け取るほうがいいと思います。竜徳寺のご先祖様もそのほうが喜ばれます！」

竜徳寺財閥の先祖も、当主の一人の気まぐれで、血縁者でもない者が継いだらあわてるだろう。

「俺は執事としてこれまで通り、働かせてもらえれば……」

「立花さんがいなくなって、やはりいろいろと回らないことが多いらしい。おまえにはできればこのまま、竜徳寺の執事として勤めてもらいたいが、おまえは本当にそれでいいのか」

「もちろんです！」

歩夢は大きくうなずいた。

竜徳寺の執事としてあの館にとどまることができれば、政宗との縁が切れることはない。それだけで十分だ。

「あの、政宗さんはあの館に戻られないんですか？」

恐る恐る聞いてみた。

「……父と兄が一度に亡くなって……会社もなにもかも混乱している。気楽な次男坊がいいとは、もう言っていられないからな。竜徳寺の当主になるなら、館に入ったほうがなにかと便利だろうし……」

「え……」

政宗はそこでふっと言葉を切り、歩夢を見つめてきた。

「おまえに身の回りの世話を焼かれるなら悪くないかもしれんしな」

じっと見つめられながらそんなことを言われて、歩夢の心臓はどきんと大きく跳ねる。霊体の時より、やはり生身の身体を持っているほうが、感情の揺れは身体の反応とあいまって強く感じてしまう。

「や、あ、あの」

政宗のまっすぐな視線にあたふたする。どうすればいいんだろう。

「あ……そうだ、政宗さん、いいんですか、こんなに何度もここに来ていただいて……それこそ会社もおいそがしいんじゃ……」

昼前、立花が犯行を認めたと伝えに来てくれた政宗は、いったん仕事に戻ったあと、警視庁の記者会見に合わせてまた病室に来てくれた。いってみれば二人でがんばった事件だから、その結末を一緒に見届けようと思ってくれたのかもしれないが、そうでなくても政宗はこまめに病室に顔を出してくれている。

「迷惑か」

「は？」

思わぬ言葉が返ってきた。目が丸くなる。

「だから、俺が来ては迷惑か」

「そ！　そんなわけないじゃないですか！　だって……！」

だって俺は政宗さんのことが好きなんですから。

そう口走りかけて歩夢はあわてて口をつぐむ。

うつむいた頬がかあっと熱くなってくる。

霊体の時に何度か好意を告げてしまったが、今は事情がちがう。事件の全容が明らかになり、自分もちゃんと肉体に戻って、これからまた日常が始まるのに、もう迂闊なことは言えない。

うつむいたまま、もじもじとシーツをいじっていると、ぽんと頭に手を置かれた。

「……また来る。大事にしろよ」

短く告げて、政宗は歩夢に背を向ける。

一瞬だけ感じた手の重みと温かさはいつまでも歩夢の頭に残っていた。


「荷物はこれだけか」

退院の日が来た。

固辞したのに、政宗は仕事の都合をつけて迎えに来てくれたのだった。

「あ、お、俺、自分で持ちます！」

「まだ傷口が痛むだろう。無理はするな」

そう言って、政宗は荷物も持ち、退院の手続きもさくさくすませて、アルファロメオで歩夢をアパートまで送ってくれた。

「夕食にまた迎えにくる。退院祝いをしよう」

自分のアパートの狭い玄関にスーツ姿の政宗が立っているのが現実とは思えなかった。場違いって、きっとこういうことをいうんだと実感する。

歩夢は一人になって数日ぶりの自宅を見回した。

——狭い。

(でもこれが、俺には分相応だ)

竜徳寺の館も、政宗のマンションも、自分には不釣り合いだと思う。政宗がこのアパートに不似合いだったように。

(最初から身分違いだってわかってた。住む世界がちがう人だって)

じわりと目頭が熱くなってきた。胸が熱くて痛い。

(好きになんか、ならなきゃよかった)

男同士で、身分違い。——政宗はこの時代に身分差はないという考え方だが、持っているものがちがいすぎる。二人が属する階層のちがいには「身分」という強い言葉が似合ってしまう。最初からなんの望みもないのに、なぜ好きになんかなってしまったのか。

(ダメだ。泣いたら……夕方、迎えに来てくださるのに)

目が腫れていたら心配されてしまう。

窓を開けて、掃除をしよう。洗濯機も回さないと。政宗のことを考えてはいけない。今は。

歩夢はぐすっと洟をすすり上げて立ち上がった。


政宗との夕食は素晴らしかった。

歩夢の身体は手首の傷がまだ癒えきっていないだけであとはなんの問題もなくて、歩夢は政宗が連れていってくれた隠れ家的なレストランで、心のこもった行き届いたサービスと素晴らしい料理の数々を堪能した。

「このあとだが……」

と政宗が切りだしたのはデザートの時だ。

「あ、あの！」

今日の午後、ずっと考えていたことがあった。

一世一代の大決心。歩夢はある覚悟を胸に、ここに来たのだった。

「お、お、おれ」

盛大に噛んだ。仕方ない。慣れていないのだから。

「俺……政宗さんに頼みたいことがあって……！」

「ほう？」

「あ、あ、あの……俺を……政宗さんのマンションに……連れていってもらえませんか」

「………」

政宗はすぐに返事をしてくれなかった。——やはりずうずうしかったかと、恥ずかしさで全身からいやな汗が噴き出した。

カタカタ音が鳴ると思ったら、テーブルに置いた自分の手が細かく震えている。

「……あ……ダメなら……」

沈黙に耐えかねて「ダメならいいです」と口走りかけたところで、「いいだろう」と低い声が聞こえた。

「え……」

OKがもらえた！　いや、それでもまだまだ先は長いけれど。

「ありがとうございます！」

礼を言ったが、政宗は綺麗な仕草で皿の上のクレープをすくい上げているところで、伏せた目からはなんの表情も読み取れない。

そこからは互いにほとんど口をきかなかった。もちろん、素晴らしい食事の礼は言ったけれど。

見覚えはある……けれど肉体をもって来るのは初めての地下駐車場からエレベーターで部屋へと上がるあいだも、政宗は黙ったままだった。

緊張が高まってきて、喉がからからになる。

（ダメだろ、こんなところでこんなんなってたら！）

歩夢は政宗に気づかれないようにそっと深呼吸を繰り返した。

「お、お邪魔します……」

玄関先で靴を脱ぐ。

「足があるおまえを迎えるのは初めてだな」

と政宗が言ってくれたが、それが冗談なのかどうかも、緊張状態がマックスだった歩夢にはわからない。

「俺……俺、実は政宗さんにお願いがあるんです！」

リビングに入ったところで、歩夢は考えに考えてきたセリフを口にした。

叫ぶような大声になってしまったのはやはり緊張のせいだ。

「……お願い」

先にリビングに入っていた政宗が振り返る。

「どんなことだ」

「あ、あの……」

先に水を一杯もらおうかと思ったが、時間がたてばたつほどつらくなりそうだった。

さっさと当たって砕けてしまおう。

歩夢はしっかりと顔を上げた。政宗をまっすぐに見る。

「握手、してください！」

「………………握手」

たっぷり間を置いてから政宗が繰り返す。

「……ダメですか？」

恐る恐る尋ねると、政宗は無言で手を差し出してくれた。

「あ、ありがとうございます！」

初めて会った時からずっと握りたかった、握られたかった手だ。歩夢は想いを込めて、ぎゅっと政宗の手を握った。政宗も同じようにぎゅっと握り返してくれる。大きくて温かくて、そして、しっかりした手だった。――この手がこれからの竜徳寺を支えていくのだ。日本に冠たる財閥の一つを。

「ありがとうございました……」

名残り惜しく手を離し、

「それと」

と続ける。心臓がはち切れそうなほど、胸の中で暴れる。

「あと……あと……い、一度でいいので……俺にキスして、抱いてくれませんか！」

言った！　言えた！

全身がぶるぶる震えて顔も焼けつくように熱くて鼓動もやばいけれど。とにかく言えた。頼めた。

政宗がこちらを見返してくる。

「あ、あきれていらっしゃると思いますけど……一生の思い出にしたいんです！　俺、まだ誰ともつきあったことなくて……だから一度でいいから好きな人と……エ、エッチしたくて……！」

「…………」

無言のまま、政宗が近づいてきた。顎を指ですくわれる。

眼鏡越しに見下ろされて、それだけで心臓がどどどどと速く大きく脈打つ。

（やっぱり、カッコいい……）

「……キスして、抱けばいいのか？」

「は、はい！　おいやでなければ！　あ、いやでも、いやでも、お願いしたいです！」

こらえられるぐらいの嫌悪感ならこらえてほしかった。一生に一度の思い出にするから。

ふう、と息を吐いて、政宗は目を閉じた。横を向く。

(やっぱりいやなんだ)

それはそうだろう。いきなり一生の思い出にとキスとセックスを望まれて、好きでもない相手にそんなことをしなければならないなんて。

おいやならいいです、ごめんなさい。

そう言おうとして、けれど歩夢は言えなかった。

決心してここまできた。ここで引き返すことはできない。

(人生、いつなにが起こるかわからないんだし)

一度は幽体になって、また肉体に戻れたのはとても幸運だった。しかし、事故であれ、犯罪であれ、一寸先になにが待っているかわからないと歩夢は思い知らされた。ならば後悔しないよう、今の自分の精一杯で生きていきたい。

「……わかった」

短い言葉だった。

政宗が眼鏡をはずした。ドアのかたわらのチェストに置く。かしゃりと音がした。

今度は顎の下ではなく、両頬を手で包まれた。眼鏡越しではなく、そして鏡越しでもなく、まっすぐに見つめられる。

細められた瞳には不思議なきらめきがあって目が離せなくなった。

ゆっくりと顔が寄せられてきた。

「っ」

生まれて初めてのキスだ。

唇が重ねられ、その弾力のある柔らかさと優しい温かさに、歩夢はふるりと身を震わせた。


腰を抱かれて、政宗のベッドルームへと歩いた。

今はしっかり足があるはずなのに、床を踏む足元はやけにふわふわとしていて現実感がない。

ベッドルームのドアを政宗が開ける。部屋に入る時に頭になにか当たると思ったら、かがみ込んだ政宗に髪にキスを落とされていた。

「ずっと……おまえにこうして触れたかった」

甘いささやきまでついてくる。

「あ、あの！」

まるで本当の恋人にするような甘い仕草に、歩夢はあわてた。

「い、いいいい、いいですから、そういうの！」

「……いい、とは」

「あ、あの、お、お気遣いなく……本当に……」

「…………」

しらけたのだろうか。政宗は無言で見下ろしてくる。

「俺、俺、厚かましいの、わかってますから！　そういう、そういうのは……」

「……なるほど。キスとセックスだけでいいということか」

低い声だった。その目がなぜだか怒っているように見えて……いや、なぜかということはよくわかっている。好きでもない相手に、一生一度の思い出にしたいから抱いてくれなどと言われて、機嫌のいい人間はいないだろう。

「は、はい、本当に、それだけで！」

十分ですからとこくこくとうなずいてみせる。

「……わかった。では、おまえの望む通りにしてやろう。服はどうする。自分で脱ぐか、脱がせるか」

「自分で脱ぎます！　そんな、政宗さんに脱がせてもらうわけにはいきません！」

当たり前だ。

歩夢は部屋の隅に移動すると、着ていたスーツを脱いだ。しわにならないようにそっと床に置き、シャツもざっくり畳んで上に置く。下着姿になったところで、政宗のところに戻った。

「失礼いたします」

背後に回ってスーツを脱がせる。

「クローゼットを開いてもよろしいですか？　洋服用ブラシはありますか」

政宗は大きく溜息をついた。

「好きにしろ。ブラシはクローゼットの中にある」

執事の仕事だ。上着を片手に、政宗がズボンを脱いでくれるのを待って、ベルトを取り、腕にかけて、クローゼットを開く。あいているハンガーにかけて、上着とズボンに丁寧にブラシをかける。

クローゼットにしまい、

「ワイシャツはクリーニングでよろしいですか」

と振り返って尋ねたところで、腰に腕が回されてきた。政宗はそのあいだにみずからワイシャツを脱いで、ボクサーパンツ一枚になっている。

「経験がないくせに、じらすのだけはうまいな」

「え、じらす……」

ぐっと引き寄せられて、唇が重ねられた。きゅううっと吸い上げられて、唇を舌で舐められる。

「ん……っ」

舌でねろりと舐められると、ただ唇を重ねられただけの時とはちがう震えが背を走った。

そのままベッドへといざなわれ、口づけを繰り返しながら、押し倒された。

「まさ、むね、さま……」

「様はいらない。さんでいい」

浴室で見た、鍛えられた軀に伸し掛かられている。それが信じられなくて、うれしくて、歩夢はどうにかなりそうだった。

「……なぜ、泣く」

「あ……うれしくて……」

「俺に、抱かれるからか」

こくりとうなずく。

「俺、ずっと、自分はゲイじゃない、ちがうって、誰かを好きになりかけても、いっつも自分で止めてて……だけど……一度でいいから、誰かと思いきり抱き合って、キスして、いやらしいことがしたかったって……」

「……おまえの望みは俺がかなえてやる」

うれしかった。胸がいっぱいになる。

「ありがとう……ございます……」

「……礼はいらない」

上から覆いかぶさるようにして抱き締められた。その背に歩夢もおずおずと腕を回す。

満足げな吐息が漏れた。

――今夜のことは、絶対一生、忘れない。

政宗の熱い手がランニングシャツをくぐってじかに触れてくれる。

歩夢は信じられないような幸せに、きゅっと目を閉じた。


深夜、歩夢はそっと目を開いた。

ずっと眠っているフリをしていたが、政宗からのキスと愛撫、してくれたことが何度も何度も思い出されて、その上、政宗の胸に抱かれて、寝られるはずがなかった。

自分を抱えてくれている人がすうすうと寝息を立てているのを確かめる。

(政宗さん、ありがとうございました)

本当にいい思い出ができた――。

フットライトのわずかな明かりに、彫りの深い政宗の顔が見える。

その鼻筋を指でなぞりたいのを、歩夢はこらえた。

これ以上は、もうダメだ。

きゅっと唇を噛み、そうっと政宗の腕から抜ける。

願いはかなった。

軽くたたんであった服を手に、寝室を出た。手早く身支度をすませて、玄関に出る。

オートロックだから、鍵がなくても心配はない。

「ありがとう、ございました」

声は出さずに礼を言い、歩夢は深く頭を垂れた。


枕元でぶーぶーとバイブ音を響かせるスマートフォンと、連打されるチャイムに起こされた。

「へ？　へ？」

瞬間、自分がどこにいるかわからなかった。

昨夜の夢のような時間と、深夜の街を一人、アパートまで帰ってきた時の寂しさ、そして、むくわれぬ恋の悲しさに泣きながら寝落ちしてしまったところまでを怒涛のように思い出す。服も着替えていない。

「あ、はいはいはいはい」

記憶がしっかりしたところでスマートフォンを取る。『政宗様』と名前が出ていて、ひっと息を呑んだ。発信者の名前を見つめているあいだに呼び出し音が途切れた。

どうして、なぜ、政宗から……。うろたえたところで、また玄関のチャイムがピンポンと鳴る。

「あ、はい！　今！」

とりあえず玄関に出よう。

カメラ付きのインターフォンなんていうしゃれたものは付いていないから、そのまま玄関に出た。

昨夜はチェーンもかけていなかった。鍵だけ開けて、「はい」とドアノブを回したところで、外から思いきりドアを引かれた。

裸足のまま三和土(たたき)に下りる。ドアから外の風がさっと吹き込む。

ドアの外に立っていたのは政宗だった。カジュアルなシャツにチノパンというスタイルだ。

「へ？」

間抜けに見上げる。

「………」

政宗はとても不機嫌そうだった。くいっと顎を持ち上げられる。

「泣いたのか」

はっとする。あわてて、ぽんぽんに腫れているにちがいないまぶたを両手で隠した。

「なぜ泣いた」

「あ、あ、あの……」

「俺が恋しかったと言うのなら、俺を一人で目覚めさせた無礼は許してやろう」

「え、あ、そ、そうですけど……無礼って……」

深く長い溜息が返ってきた。

「この部屋の防音はしっかりしているか」

思わぬことを聞かれる。

「え、ぼうおん？」

一瞬遅れて、防音だと気づく。

「きのうはおまえの望みを聞いた。今日は俺の望みを聞いてもらおうか」

「え、え？」

「来い」

腕を引かれた。

「ええええ？」

歩夢は目を丸くしたまま政宗に引っ張られ、あわてて玄関先に置いておいた鍵を持ち、外へと出たのだった。


近くのコインパーキングに深紅のアルファロメオが停められていた。歩夢が逃げ出すのではないかと恐れるように、政宗は助手席のドアを開くと、中に歩夢を押し込んだ。

「えっと、あのどこに……」

政宗の家に連れていかれるのかと思ったが、車は湾岸へと走っているようだった。

「俺の家だとおまえはまた服の始末だ、ベッドメイキングだとうるさそうだからな」

そういう政宗の横顔の線は硬い。髪はスーツの時よりはラフだが、フレームレスの眼鏡はいつもと変わらない。

昨夜の、前髪が垂れかかる雄の顔を思い出して、腰がずくりと疼いた。

(ダメだ、あれは一生に一度のことなんだから)

自分を叱る。

どういうことかとまどっているあいだに、政宗は外観も素晴らしい外資系のホテルの玄関へと車を滑り込ませた。見覚えがある気がするのはドラマかなにかのロケで使われていたのだろうか。

「いらっしゃいませ」

正面で車を停めるとすぐ、ドアボーイがやってきた。

「これは、竜徳寺様」

「車を頼みます」

政宗が鍵を渡す。

「お預かりいたします」

駐車場まで自分で運転しなくてもいいことにも、そうして正面のガラス扉を入ってすぐに、今度は支配人らしい礼服の男性が飛んできたことにも歩夢は驚いた。

「竜徳寺様、お待ち申し上げておりました」

うやうやしくお辞儀をよこすホテルマンに案内されて、客室最上階直通のエレベーターへと案内される。フロントでのチェックインすら必要ないのかと、歩夢の驚きは続く。

「ではごゆっくりお過ごしくださいませ」

頭を垂れる支配人がエレベーターの扉の向こうに消えてすぐ、政宗に抱き寄せられた。

「わぶ」

硬い胸板に押しつけられて、変な音が口から出てしまう。

「ま、政宗さん……？」

無言でぎゅっと抱き締める政宗の顔を恐る恐る見上げる。

「……もう離さん」

短い言葉で宣言される。

部屋は玄関からリビングまである、いわゆるスイートルームだった。リビングの広い窓から東京湾を見渡せる、絶好のロケーションだ。だが、ゆっくりと景色を楽しむ余裕は与えられなかった。

政宗にぐいぐいと手を引っ張られて、ベッドルームへと連れていかれる。突き放すようにしてベッドへと押しやられ、歩夢はどすんと広いベッドの端に腰を下ろした。

「政宗さん、ここは……」

「おまえには驚かされてばかりだ」

歩夢の前に仁王立ちした政宗が怖い顔で言う。

いえ、それは俺のセリフです。そう思ったが、怒っているかのような政宗に言葉を返すのはやめておいた。

「……すみません……」

「おまけにおまえは勝手だ。一生の思い出に握手しろだの、抱けだのと」

「ごめんなさい……」

それを叱られるのはわかる。悄然とうなだれた。

いらだたしげな溜息を落とされる。

「明るく、前向きでタフ……それはおまえのいいところだ。だが、もう少し人の話も聞け」

柔らかく頬に手を添えられた。仰向かされる。

「いいか」

まっすぐに見つめられた。その瞳がやけにきらめいて見えるのはどうしてだろう。

「俺は、おまえが好きだ。愛しい」

「………………」

言われたことがすぐには理解できない。好き？ 愛しい？

「……え、誰が誰をですか？」

まぬけに問い返す。

「俺が、おまえを」

歩夢は無言で目を見開いた。嘘だ。

「嘘だと思っているんだろう。だがあいにくだな。本当だ」

「で……だって……ま、政宗さんはカッコよくて、人柄もよくて……竜徳寺のすごい人で……」

政宗の目に笑いの影がよぎった。

「えらい褒められようだ。……だが、俺もカッコ悪いところも、意地の悪いところもあるぞ。ゆうべ、おまえがあんまり勝手なことばかり言うから、告白せずにおまえを抱いたりな」

「あ……あれは……だって……」

「おまえがそれを望んだからだ。だが、今度は俺の望みを聞いてもらう。――椎葉歩夢」

「ま、政宗さん?!」

突然、政宗が床に片膝をついた。そっと手をとられてキスを落とされ、歩夢はこぼれんばかりに目を丸くした。

「俺の恋人になってほしい。おまえが好きだ」

誤解しようのない申し込みだった。

「で、でも……」

「おまえがいい。おまえでなければ、だめだ」

目頭が熱くなり、鼻の奥がツンと痛くなってきた。

「……ホントに……？　俺なんかで……」

政宗が短く笑い声を立てた。

「なにが、俺なんか、だ。生き霊になってまで俺のところに来てくれるのはおまえぐらいだ」

笑えた。笑った拍子に、涙が一筋、ぽろりと落ちた。


恋人として素肌をさらし合い、抱き合って、キスをした。

昨日も何度もキスをされたし、互いの背に腕を回して抱き合いもした。けれど、「好き同士だ」とわかってのそれは、行為自体は同じでも、まるでちがう濃さと甘さで歩夢を酔わせた。

「まさむね、さん……好き、です」

「俺もだ。歩夢……」

どれほど互いの唇を吸っても、舐めても、甘く噛んでも足りなくて、何度も何度も唇を寄せ合った。

舌を絡めるのは頭がどうにかなりそうなほど気持ちがよくて、ぴちゃぴちゃといやらしい音を立てて濃いキスを続けた。

「ア……っ」

胸の紅い肉蕾を指で撫でられただけで、鮮烈な快感が走る。

「あ、やぁっ……んッ……」

「どうした」

優しく、蕾の先端を丸くなぞりながら、政宗が笑いを含んだ目を向けてくる。

「き、きのうと、全然ちがうっ……」

「ほう？　どうちがう」

「すご、すごく、気持ちい、い……っ」

「ゆうべはすごくよくはなかったのか」

意地悪な問いにはあわてて首を横に振った。そういうことではないのに。

「冗談だ。……俺もちがうぞ？　おまえが望むから抱いただけのきのうとはまるでちがう。おまえが愛しくて、可愛くて……どうにかなりそうだ」

ぎゅっと上から抱き締められて、頬ずりされた。その頬がまるで熱があるように熱くて、政宗もまた興奮していることを知らしめてくる。

「……抱きつぶしてしまいたい……」

不穏なことをつぶやきのあと、脚に脚を絡められた。大きく左右に割られて、政宗の身体を挟まされる。

「政宗さん……政宗さんのいいように、して……抱きつぶして、ください」

こんなことを言っているのは本当に自分の口だろうか。けれど、いやらしい望みを口にしているのは本当に自分だった。そればかりか、大きく開いた両脚の中心を見せつけるように腰を持ち上げさえして。


「……ゆうべの俺は紳士だった」

上から見下ろしてくる政宗の眼差しが獣めいた欲をたたえて強い。

言葉通り、昨夜の政宗は優しかった。初めての歩夢の負担が少しでも軽くなるよう、入念に秘孔をほぐし、つながるのもゆっくりで、抜き差しもゆるやかだった。

「だが、きょうはちがうぞ。それでもいいのか」

「いい、です」

こくりとうなずくと、腰を両手で摑まれた。その中心に、政宗が顔を伏せる。

「えっ！　あっ！」

抱きつぶすと言うから、すぐに政宗自身で貫かれるのかと思っていた。なのに、昨夜はされなかった愛撫をされて、歩夢はあわてた。

「ま、政宗さん！　ダメです、そんな……あ、きたないから！」

歩夢のペニスを咥える政宗をなんとかしたくて頭を押しやろうとしたが、一瞬、顔を上げた政宗に、

「おまえの匂いが強くする」

と言われては悶絶するしかなかった。

「っ」

両手で顔を覆って首をそらすと、それでいいと言わんばかりにまた深く口中におさめられる。

淫らな水音を立ててしゃぶられて、声をこらえることもできない。いやらしく喘ぐと、今度はきゅうっと先端を吸い上げられて悲鳴が漏れた。

「いや、いや！　あああっ……あ、ダメ、あ、やだ！　いい、気持ち、いいっ」

いやなのかいいのかどっちなんだ。そんなツッコミがきそうなことを口走り、背を波打たせる。とてもこらえられない。

「ま、政宗さまっ、で、出ちゃう……」

訴えたところで、無防備になっていた尻の狭間を指で押された。昨夜、政宗に拓かれたばかりのすぼまりを温かい指で押されて、その刺激が最後のダメ押しになった。

「――ッッッ」

歩夢は政宗に咥えられたまま、彼の口中に思いきり射精していた。

政宗の指が肉環の奥へと入れられてきたのは、その最中だった。

「ひうぅぅぅ……っ」

吐き出す雄の快感の頂点で、異物を体内に受け入れさせられる――たまらなかった。まるで種類のちがう刺激と快感に、細く長い悲鳴を上げて、歩夢は弓なりに軀を反らせた。

「だ、だめ……だめ、あぁっ……んんんッ……」

「ダメか、本当に？」

歩夢の中に埋めた指をゆっくりと抜き差しさせて、蜜襞を掻きながら、政宗は上体を添わせてきた。耳たぶを甘く噛まれる。

「んあッ……あふう、ふ……」

気持ちがよすぎて、わけがわからない。――いや。

「も、もっと……もっと、ごしごしって……」

気持ちがよすぎて、そして……もっとよくなることしか、今の歩夢にはわからない。

長い指で秘肉をいじられるのは気持ちがいい。けれど、もっと大きく、もっと硬く、もっと太いもので征服されることを、歩夢の躯は求めていた。

無意識に手が伸びて、政宗の股間をさぐってしまう。

「おまえは……」

低く、呻くような声がして、政宗が急に躯を起こした。膝裏を摑まれて、腰が浮くほど深く脚を胸へと折られる。

「もう知らんぞ」

直後――待ち望んでいた、政宗の雄が上から突くように押し込まれてきた。

「あああああ――ッ」

のけぞり、叫び、そして……歩夢は達したばかりだったペニスから、淡い白濁を、また噴いた。

昨夜のあれはなんだったのかと思うほどに。

激しく貪られた。

肉と肉がぶつかって、ぱんぱんと音が立つ。政宗は何度も何度も歩夢の深奥を雄の凶器で突き、かと思えば、ゆるく大きく円を描くように、歩夢の蜜壺を掻き回した。

「んああっ、あうぅ……」

どれほどそうして穿たれていたのか。

やがて、小さく呻く声がして、政宗がひときわ奥へと入ってきて……熱いもので腹の奥が満たされたような感覚があった。

「政宗、さん……」

「歩夢」

上体を倒した政宗に口づけられた。

「大好きだ。歩夢」

「おれ、俺も……」

感極まって告げ合う。

しかし、それで終わりではなかった。

「え、え?!」

くるりと躯を裏返されて、歩夢はとまどった。その腰を政宗がぐいっと持ち上げる。

「言っただろう、抱きつぶしたいと」

ついさっきまで政宗を受け入れさせられていたそこに、また熱い塊がねじ込まれた。今度は後ろからの抜き差しに、最前、政宗が歩夢の体内に放った精液がぐちゅぐちゅと淫らな音を響かせる。

「んあッあッ――」

枕に頭を押しつけ、腰だけ高く掲げさせられて……歩夢は好きな人と快感を分け合う至福の時を、いやらしい喘ぎを上げながら味わいつくしたのだった。

＊　＊　＊　＊　＊

三人の一審が終わったのは夏の終わりだった。

立花は歩夢が提出した減刑嘆願書が功を奏したのか、自殺を偽装するという悪質さは認められたが、三年の実刑ですんだ。立花は控訴せず、粛々と一審判決を受け入れた。

玲香は藤沢と罪のなすりつけ合いの末、豊久殺害の従犯と認められて懲役十年が言い渡された。藤沢は現役の警官であったこと、実行犯であったこと、また第三者に罪をなすりつけようとした計画の立案者であることと歩夢への殺人未遂も認められて無期懲役が言い渡されたが即日控訴。

二人は玲香の浮気が夫である豊久にばれ、離婚されれば竜徳寺との縁が切れてしまうと、凶行に走ったのだった。

玲香は減刑嘆願書を政宗が提出することを条件に豊久の相続権を放棄、また咲姫の親権も手放し、咲姫が秀久・マリカ夫婦の養子になることを承諾した。

「びっくりだよ、もう」

「いや、それこっちのセリフよ」

「裏」の厨房でまかない飯を食べながら、歩夢はマリカとやり合う。

「秀久さんの赤ちゃんがいます、なんて」

「執事兼、政宗さんのパートナーです、なんて」

顔を見合わせてふふっと笑う。

政宗と交際して三ヶ月、歩夢と政宗は二人の交際を館の人間たちにカミングアウトし、同時に秀久とマリカからマリカの妊娠と結婚の予定を告げられたのだった。

「びっくりだね」

「ホント」

しかし、政宗と歩夢の交際以上に周囲を驚かせたのは秀久の変化だった。

「にいさん」

マリカの妊娠が明らかになる少し前、秀久は政宗のところにやってきた。きちんとスーツを着て、髪も整えて。

書斎にいた政宗にお茶を出しに来ていた歩夢はそのまま秀久の話を聞くことになった。

「俺を……わたしを、ワイアールで働かせてくれませんか」

マリカとの結婚を決めた秀久は一会社員として地道に働く決心を固めていた。それからすぐに秀久はベンツも手放し、燃費のいい国産のファミリーカーに乗り換えた。満久氏からの遺産が一生、遊んで暮らせるほどあったにもかかわらず、だ。あれほど「金、金」と言っていたのに、遺産の管理をすべてマリカにまかせたのも、周囲を驚かせた。

——いや。

「ま、政宗さん……あの……」

「じっとしていろ。まだ充電中だ」

書斎の大机を前に、後ろからすっぽりと政宗に抱き締められて歩夢はとまどう。首筋に当たる唇と、政宗の息が熱い。

周囲はともかく、歩夢にとっての一番の驚きは、秀久の変化でも、マリカと秀久の結婚でもなく、恋人としての政宗のふるまいだった。政宗が自分のことを好きになってくれたというのももちろんびっくりだったが、公私のけじめをきちんとつけそうに見えていた政宗が、実は歩夢が近くにいればいるだけ触れたがり、あまり人目も気にしないタイプだったのにはさらに驚かされた。

執務中にコーヒーを持っていけば、「充電だ」と抱き締められてすんすんと匂いを嗅がれる、食事の給仕につけば、「食べさせろ」と口を開けられる……。さらには現金でこそないもののプレゼント攻勢もすごい。

「それともいやなのか」

「あ、あの……うれしいです、うれしいですけど……」

膝の上に座らされ、うなじに顔を埋められて、歩夢はいつも少しだけ困ってしまう。

政宗に抱き締められているとじわりと体温が上がる。股間がもぞもぞしてくる。すっぽりと胸の中におさめるだけではなく、いやらしくあちらこちらをまさぐってほしくなるし、濃い大人のキスもしてほしくなる。――旦那様のお仕事を邪魔する執事なんて失格だから、じっと我慢するけれど。

「……三時に長瀬弁護士がいらっしゃいますから」

たしなめて、そっと腕をほどいて膝から滑り下りると、政宗は残念そうに溜息をついた。

「うちの執事殿は優秀だな。うれしいが、寂しい」

「こ、恋人の時間は、夜十時から朝七時までですから……！」

それは二人で話し合って決めたことだ。

政宗は竜徳寺当主を継ぐにあたって、マンションを引き払い、この館に越してきた。秀久とマリカも咲姫と一緒に館に住み始めたが、歩夢は執事としての立場もあって、離れの一室を住まいにした。

その時に、歩夢は竜徳寺の家と政宗、そして秀久を執事として支えたいと政宗に伝え、政宗も理解してくれて、けじめとして、恋人の時間は夜十時から朝七時と決めたのだった。――政宗はたびたび、その決まりを破るけれど。

「仕方ないな。仕事に戻るか。だが、その前に……励ましを一つ、くれないか」

ちょんと唇を指でつつかれる。

「えと……」

ほかに誰もいない書斎を歩夢はさっと見回す。いつまでたっても気恥ずかしさが先に立つ。

「じゃ、じゃあ、かがんでください」

政宗がわずかばかり膝を折る。近づいた唇に、歩夢は背を伸ばして、ちゅっとキスを送った。

旦那様の要望に応じて励ましの口づけを送るのは恋人の役だろうか、執事の役だろうかと、いつも少しばかり疑問だけれど。

夜十時から、朝七時までは恋人の時間、それ以外は旦那様と執事の時間。

本当は政宗が望むだけ、いちゃいちゃべたべたしていたいが、政宗をしっかりと仕事に戻すのも大切な仕事だと歩夢は心に決めている。励ましのキスは……ちょっとグレーだけれど仕方ない。

そんな歩夢の朝は、六時五十五分に政宗を起こすところから始まる。

「おはようございます、政宗さん」

声はかけるが、コーヒーは持っていない。ドアもノックしない。

恋人の時間の起こし方は、鼻をちょんちょんとつつくこと、そしてちゅっとキスを落とすこと。もちろん、同じベッドの中で——。

end

あとがき

クロスノベルスさんでは初めまして、です。楠田雅紀です。

この「ご主人さまと謎解きを」はクロスノベルスさんでの一冊目でもあり、初のノベルスでもあり、また、紙書籍での二十五冊目でもあり……とても感慨深い節目の一冊となりました。

お手にとっていただき、本当にありがとうございます。

さて、そんな節目の一冊はタイトルずばり、ミステリー仕立てとなっております。また、「ご主人さま」とあるように、富豪の息子で実業家の攻め様に、執事として勤めることになった受けのお話でもあります。

ただ、ミステリーではあるのですが、受けは途中から○○状態で……と、ここは後書きを先に読まれる方にネタバレになってはいけないので、多くは語れませんね。いや、でも、楠田、実はホラーとかサスペンスとか苦手なんです。怖がりで。なので、受けが○○状態になって現れるところとか、書いててドキドキしました。あ、その前の「事件」の被害者を受けが目撃するところ（ぼかして表現してます、ええ）なども、とてもドキドキしながら書きました。書く時ってすごくいろいろ想像するので、「ひー」って。

でもでも、今回は受けの歩夢の明るさとたくましさに救われました。彼の目線で書いていると、悲惨なこともどこか明るくて。政宗(まさむね)も、彼のそういう「人としての温かさを持った上でのたくましさ」に惹かれたのだと思います。

去年に続いて社会状況はなかなかシビアですが、ふっと笑ってもらえたり、ドキドキ（怖いほうではなくて甘いほうで、です）してもらえたら、うれしいです。

そして、節目となる一冊を、初めてご一緒させていただいた担当さま、本当にありがとうございました。いろいろとご配慮をいただき、感謝しております。また、イラストのみずかねりょう先生。ビジュアルをお願いするのは二度目ですが、この二度のご縁にはやはり感謝しかありません。

そしてなにより。こうしてこの本を手にとってくださっている貴方に。改めて、心より感謝申し上げます。読んでくださる方がいてくださるからこそ、こうしてＢＬ業界の隅っこで書き続けていられます。

どうか、また、お目にかかることができますように……。

二〇二一年七月吉日　楠田雅紀

CROSS NOVELSをお買い上げいただき
ありがとうございます。
この本を読んだご意見・ご感想をお寄せください。
〒110-8625
東京都台東区東上野2-8-7　笠倉出版社
CROSS NOVELS 編集部
「楠田雅紀先生」係／「みずかねりょう先生」係

CROSS NOVELS

ご主人さまと謎解きを

著者
楠田雅紀

2021年8月23日　初版発行　検印廃止

発行者　笠倉伸夫
発行所　株式会社 笠倉出版社
〒110-8625　東京都台東区東上野2-8-7　笠倉ビル
[営業]TEL　0120-984-164
FAX　03-4355-1109
[編集]TEL　03-4355-1103
FAX　03-5846-3493
http://www.kasakura.co.jp/
振替口座　00130-9-75686
印刷　株式会社 光邦
装丁 Asanomi Graphic
ISBN 978-4-7730-6304-2
Printed in Japan